Love is in the Bread®

El libro de
DANIEL JORDÀ
y Òscar Gómez

Para Manoli,
Joaquim, Daniel y Rita

Índice

¡Ante todo!:
no se trata
de hacerlo perfecto,
se trata de disfrutar
y poner amor en
el asunto. ;)

* Panes con chicha son aquellos panes especialmente suculentos y enriquecidos con otros ingredientes.

Presentación

Es innegable que el mundo del pan ha sufrido en estos últimos años una gran revolución, que han surgido nuevos talentos llegados para consolidar un oficio tan duro como reconfortante, y –no lo digo yo–, es ahora cuando se empieza por fin a reconocer la calidad del pan nacional, que por otro lado sigue siendo un gran desconocido fuera de nuestras fronteras en sus casi infinitas formas y variedades.

Coincido con Daniel en sus comentarios acerca del poco reconocimiento del mundo de la pastelería/panadería, algo que a menudo denuncio, ya que mi pasado pastelero pesa. El pan, que no puede faltar en la mesa de muchos, a menudo pasa desapercibido. Si bien he de reconocer que los cocineros hemos mimado poco su calidad.

Por suerte, y gracias al trabajo de Daniel y muchos otros colegas de profesión, se están volviendo las tornas. En mis inicios en el mundo de la pastelería tuve la suerte de aprender en la pastelería Escribà y así completar mi formación más tradicional. Recuerdo el año que llegué: quería aprenderlo todo, y a los madrugones habituales de una pastelería les sumé el añadido de los panaderos. De hecho, cuando llegaba a las 5.30 a.m. estaban ya perfilando la primera hornada para su fermentación. Aún recuerdo la figura de aquellos veteranos curtidos en mil batallas preparando las barras a la lumbre de la puerta del horno de leña. Ese fue mi primer contacto con el mundo de la panadería. Desde entonces, mi respeto por este oficio no ha parado de aumentar y de hecho entendí que tendría que dejar para otra vida el aprendizaje de tan antiguo y duro oficio.

Si vemos lo que representa el pan en nuestro día a día, estaremos de acuerdo en lo felices que nos hace una tostada con mantequilla para desayunar, un buen bocadillo de jamón matinal, una tostada de *pa de pagès* con tomate, un pan de hogaza o de cereales o una *baguette* fina y crujiente.

Suelo utilizar la panadería como ejemplo para mostrar la complejidad de los oficios: la mezcla de harina, agua, sal y levadura da como resultado una variedad infinita de resultados, no hay dos panes iguales.

El libro que tienes en tus manos es un reflejo de todo lo comentado. Daniel Jordà es un profesional con tanto talento como ganas de compartir su pasión con todos los que, como él, amamos el pan.

Albert Adrià

Prestigioso cocinero y repostero.
Codirige el restaurante Tickets
junto con su hermano Ferran Adrià.

Compartimos filosofía panarra...

DANIEL JORDÀ

En la foto,
en su faceta más tierna.
Digamos..., como un brioche.

ÒSCAR GÓMEZ

Feliz de compartir amistad
y devoción por el arte panadero
con Daniel Jordà.

... pero ¡me la como yo!

ÒSCAR GÓMEZ

Sigue feliz aunque sabe que no le quedará más remedio que compartir el pan.

DANIEL JORDÀ

Otra vez Daniel, pero más... «bruto», como un pan de payés.

La filosofía
"Love is in the bread"®

DANIEL JORDÀ

Como panadero vengo del negocio familiar, el Forn Trinitat, situado en un barrio menudo con un ambiente algo cerrado y en ocasiones asfixiante. Nada excepcional, lo normal en una comunidad pequeña. **Sentí la necesidad de iniciar mi propio camino,** así que levanté la persiana en una plaza no especialmente bonita –la nuestra, la mejor– de un barrio algo avasallado por el cemento –el nuestro, el mejor–, hace ya un puñado de canas. Quizá por todo ello, en **Panes Creativos nos hemos impuesto la norma de conseguir que nuestros clientes vengan felices a comprar su pan.** Queremos que entiendan que no siempre podemos tener todos los panes de nuestro catálogo y que **sepan apreciar la oportunidad de probar alguna novedad si no encuentran su favorito habitual.** Con los años hemos conseguido que al salir de la tienda muchos de nuestros vecinos nos agradezcan que aún estemos con ellos y no nos hayamos mudado al centro, donde el glamur y el beneficio es mucho mayor. **El barrio y su gente son nuestras raíces, y la complicidad con ellos no tiene precio. Eso es parte de nuestro** *Love is in the bread.*

Ejercemos nuestro oficio con pasión, y sentimos la necesidad vital de **añadir a nuestros panes el valor de la creatividad fiera, desacomplejada y radical.** Somos inflexibles en eso y hasta el momento mantenemos el compromiso íntimo de alumbrar mensualmente un nuevo pan. En cinco años son muchos panes, el catálogo es amplio, y aunque nos

> COMO PANADERO VENGO DEL NEGOCIO FAMILIAR, EL FORN TRINITAT (...) EN PANES CREATIVOS NOS HEMOS IMPUESTO LA NORMA DE CONSEGUIR QUE NUESTROS CLIENTES VENGAN FELICES A COMPRAR SU PAN

#LoveIsInTheBread

llena de satisfacción sentimos que aún estamos en el principio del camino. También tratamos de conquistar cada día adeptos a la noble causa del buen pan. Ejercemos el proselitismo *panarra* (en catalán, persona a quien le gusta mucho el pan) y nos gusta.

Las redes sociales nos han ayudado mucho en esta tarea, y con ellas hemos creado un ecosistema de complicidad y cariño. Esa comunidad también nos define y contribuye enormemente a dar sentido a nuestro proyecto *Love is in the bread*.

Para hacer buen pan a nivel profesional se necesita un excelente equipo humano –el nuestro, ¡de nuevo el mejor!– y mucha capacidad de trabajo en condiciones complicadas. Afortunadamente en casa la cosa es mucho más cómoda. **También requiere respeto hacia el ritmo natural de las cosas,** y de nuevo por suerte en casa nadie espera que tengamos el pan recién horneado a las siete de la mañana. Aun así, o quizá gracias a ello, cada esfuerzo empleado y cada hora de sueño perdido ha terminado siempre regresando multiplicado en forma de megavatios de energía positiva.

En el camino hemos encontrado también personas singulares. Sirva como ejemplo que los dos que tecleamos en este libro tenemos en la raíz de nuestra amistad unas bravas con vermut que nos zampamos un domingo en el obrador cerrado al público, entre harinas y amasado para el lunes. **Han pasado años y a Panes Creativos le ha crecido**

CREEMOS FIRMEMENTE QUE EL PAN ES EL MAYOR EJEMPLO DE GENEROSIDAD QUE PODEMOS ENCONTRAR SOBRE UNA MESA (...) EL PAN COMPARTIDO AYUDA A SACAR LO MEJOR DE NOSOTROS MISMOS. ¡EL PAN ES LO MÁS!

poco a poco el músculo, y ahora somos más libres para seguir creando panes. El pan es parte de lo que define a la humanidad, un alimento y símbolo casi universal de generosidad y hospitalidad. El pan es amor, claro.

Como estamos convencidos de que todo se transmite, **solemos trabajar con música para que la emoción musical se contagie a nuestros actos.** Es decir, a nuestros panes. En una ocasión el fraseo cursi –pero extraordinariamente pegadizo– de John Paul Young (*Love is in the air*) inundó la madrugada del obrador y la adoptamos como grito de guerra musical. Al cabo de un tiempo apareció pintada en la pared de nuestro obrador la frase «*Love is in the bread*». Y desde entonces ahí sigue, aunque el tiempo ha sofisticado un poco la tipografía y los colores. El mensaje permanece inalterable: **El amor está en el pan, crujiente y masticable. Amor de verdad, como en los cuentos.**

Con este libro hemos querido acercarte algunos de nuestros panes favoritos de todo el mundo. Con la ilusión de conquistar paladares, alentar horneados y desatar sonrisas. Para contagiar amor por el pan, porque creemos firmemente que el pan es el mayor ejemplo de generosidad que podemos encontrar sobre una mesa. Incluso nos encanta que el de siempre intente cada vez reservarse el cuscurro, detalle humano y enternecedor. El pan compartido ayuda a sacar lo mejor de nosotros mismos. ¡El pan es lo más!

Abre los ojos y deleita tu paladar

39 RECETAS QUE SACARÁN TU LADO MÁS CREATIVO. DÉJATE LLEVAR POR LA MEZCLA DE SABORES Y SORPRENDE A TUS AMIGOS. TE ENSEÑAMOS LOS PANES MÁS SINGULARES DE DANIEL JORDÀ, **¿TE ATREVES CON ELLOS?**

Pan venezolano
Páginas 28-29

Rosca de chocolate
Páginas 30-31

Babka
Páginas 32-33

Empanada de pesto
Páginas 36-37

Banana bread
Páginas 38-39

Pão de queijo
Páginas 40-41

Pan con pesto
Páginas 44-45

Cougnu
Páginas 46-47

Pan de muerto
Páginas 48-49

Pan de mortadela
Páginas 58-59

Pan de patata violeta
Páginas 60-61

Pan de cacahuete
Páginas 62-63

Pan de vino tinto
Páginas 66-67

Pan de pimienta rosa
Páginas 68-69

Pan de té matcha
Páginas 70-71

Dumplings
Páginas 74-75

Pan de mandarina
Páginas 76-77

Pan de yuzu
Páginas 78-79

Pan de romero
Páginas 80-81

Hojaldre provenzal
Páginas 88-89

Pan de centeno
Páginas 90-91

Cremona
Páginas 92-93

Galette de higos
Páginas 96-97

**Pan integral
de zanahoria**
Páginas 98-99

Pan de sandía
Páginas 100-101

Minipitas
Páginas 104-105

Pan de bayas de goji
Páginas 106-107

Pan de pepino
Páginas 108-109

Pan de pizza
Páginas 110-111

Focaccia de patata
Páginas 118-119

Pan de buttermilk
Páginas 120-121

Pan de mojito
Páginas 122-123

Pan de 3 mostazas
Páginas 126-127

Pan de leche
Páginas 128-129

Frankfurt roll
Páginas 130-131

Pan de remolacha
Páginas 134-135

Pan de molde dulce
Páginas 136-137

Chapati de colores
Páginas 138-139

Pan de masa madre
Páginas 140-141

**¿LISTO PARA
EMPEZAR?**

Qué se necesita para hacer buen pan

SEAMOS CLAROS, INCLUSO A RIESGO DE DISMINUIR NUESTRO CARISMA DE PANADEROS: **PARA HACER BUEN PAN NO SE NECESITA UN GRAN APARATAJE.** SI LOS EGIPCIOS –LOS PRIMEROS PANIFICADORES ARQUEOLÓGICAMENTE ACREDITADOS– PODÍAN HACERLO, NOSOTROS TAMBIÉN.

Las herramientas imprescindibles son tan básicas que las encontramos en cualquier cocina familiar estandarizada. Algún bol grande en el que mezclar, una báscula (los recipientes calibrados también pueden hacer esta función), bandejas aptas para el horno y unas ganas locas que nos hagan disfrutar del proceso. **Porque de eso se trata también el *Love is in the bread*, de gozarlo en el camino.**

Aun así, te puede venir muy bien disponer de las siguientes herramientas y materiales. **No solo te facilitarán la vida, en ocasiones mejorarán el resultado final** (por ejemplo, la corteza toma más color y un extra de *crunch* cuando la pulverizamos con agua). Y para algunas técnicas o procesos concretos alguno de ellos puede resultar imprescindible.

También os recomendamos una pequeña *mise en place* de los ingredientes fundamentales que vamos a utilizar para hacer pan. Una cuidada selección de harinas de calidad (de trigo, de espelta, de maíz, integral…) es vital para obtener un resultado satisfactorio de cada receta que hagamos.

1

Ingredientes imprescindibles

1 Harina

2 Agua

3 Levadura

4 Sal

5 Aceite de oliva

6 Mantequilla

2

3

4

5

6

Algunos ingredientes gastronómicos

1 Bayas de goji

2 Alcachofas en conserva

3 Trufa (negra o blanca)

4 Olivas de calidad: por ejemplo, unas buenas kalamata

5 Quesos: mozzarella, roquefort, camembert...

6 Especias: curry, orégano, pimentón dulce, guindillas, hierbas aromáticas...

7 Semillas y frutos secos: sésamo, arándanos deshidratados, pasas, pipas, nueces...

8 Cebolla caramelizada

9 Gotas de chocolate

6

7

8

9

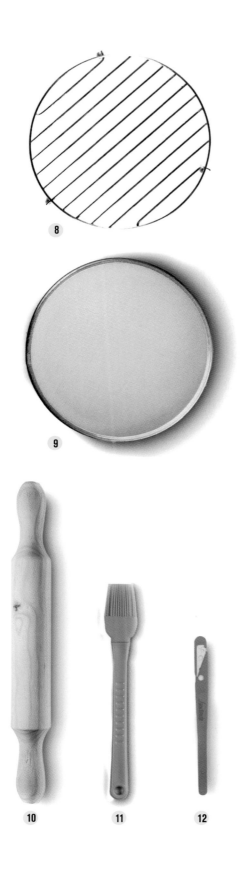

Materiales y herramientas

1 Bandejas para hornear/carro

2 Boles para los ingredientes y las mezclas

3 Báscula para pesar los ingredientes

4 Papel de horno

5 Cuchillo de panadero o un cuchillo fino muy afilado (para realizar cortes en la superficie de los panes)

6 Rasqueta de panadero

7 Biberón de cocina

8 Rejilla para enfriar

9 Tamiz

10 Rodillo de madera

11 Pincel de silicona (o pulverizador pequeño)

12 Cuchilla de panadero

Procesos básicos para hacer buen pan

1. Conocer las harinas

PARA ELABORAR PAN HAY QUE CONOCER LAS HARINAS, QUE JUNTO AL AGUA Y LA LEVADURA SON LOS INGREDIENTES IMPRESCINDIBLES. LA CANTIDAD DE GLUTEN DETERMINA CÓMO TRABAJAREMOS UNA MASA, CÓMO SE VA A HIDRATAR, SU ELASTICIDAD, TENACIDAD E INCLUSO LA CAPACIDAD FINAL PARA RETENER UNA CIERTA FORMA CUANDO HEMOS FORMADO LAS PIEZAS DE PAN.

Tipos de harinas más utilizadas

• **Harina para todo uso:** es la harina blanca más común.

• **Harina de repostería o de flor:** es una harina muy blanca, de gran calidad. Se obtiene de la molienda sucesiva de los granos de trigo.

• **Harina leudante:** también llamada bizcochona, es la harina común mezclada con levadura seca. Permite una rápida elaboración de productos de repostería.

• **Harina integral:** su color más oscuro y su sabor más fuerte añaden un toque especial a las recetas.

• **Harina de fuerza o gran fuerza:** es aquella que tiene un alto porcentaje de proteínas de gluten (más del 12 %). Se obtiene de trigos duros y se destina principalmente a la elaboración de pastas alimenticias y panes más rústicos.

• **Harina de media fuerza o panificable:** tiene un porcentaje de proteínas de entre un 10 y un 12 %. Se puede conseguir mezclando a partes iguales harina de fuerza y harina floja o muy floja. Esta harina es la que habitualmente se destina a la realización de panes, y **la que se usa por defecto, si no se especifica cuál usar.**

• **Harina floja o muy floja:** tiene un porcentaje de proteínas de entre un 7 y un 9 %. Se usa en la elaboración de repostería y galletas, y no es apta para panificación porque no mantiene la estructura del pan.

Otra de las clasificaciones de la harina más habituales (sobre todo en Sudamérica) es mediante ceros: 0 (harina de gran fuerza), 00 (de fuerza), 000 (de media fuerza) y 0000 (harina floja). Los ceros determinan el grado de pureza de la harina: a más ceros, más refinada es. Para panificar se utilizan generalmente las 00 y 000.

masa madre ♡

La masa madre está muy de moda, y es desde luego un elemento que contribuye a ampliar la paleta global de sabores y texturas. Sin embargo, no es imprescindible para hacer buen pan. Es una opción más, interesante como todas. Para elaborarla hemos incluido en el Capítulo 3 un apartado (#Reto1) donde aparecen los pasos necesarios para obtener este fermento de agua y harina, sin más levaduras añadidas.

2. Dominar el amasado

AMASADO MANUAL: EL AMASADO ES LA MEZCLA DE INGREDIENTES Y EL TRABAJO MECÁNICO SOBRE LOS MISMOS PARA FORMAR UNA RED DE PROTEÍNAS DE GLUTEN.

• Siempre empezaremos por **mezclar los ingredientes** sólidos de forma homogénea, y a estos les añadimos los líquidos –conviene dejar una pequeña porción de líquidos en la reserva para acabar de modular la textura de la mezcla.

• Cuando esté todo integrado, **añade la levadura** desmenuzada para que empiece a actuar y en la fase final añade las grasas para que estas no interfieran en el inicio del proceso de fermentación. Ten en cuenta que si agregas las grasas al principio cuesta más que se forme la malla de gluten.

• **Amasa** con firmeza, pero sin exagerar la energía o la fuerza, trabajando toda la masa durante unos minutos. Tras este paso hay que **dejarla reposar unos diez minutos**. Conviene que en todos los reposos pintemos muy ligeramente la superficie de la masa con aceite para evitar que se seque y forme una piel reseca que no nos interesa.

• **Volvemos a amasar** durante un minuto o dos terminando con un plegado simple (ver página 23) para dejarla reposar, y repetimos este proceso tres o cuatro veces hasta que observamos que la masa está fina, elástica y sin embargo poco tenaz (se estira con facilidad sin romperse pero no recupera su forma inicial una vez deformada).

AMASADO POR AUTÓLISIS O AUTOAMASADO: LA AUTÓLISIS NOS FACILITA LA VIDA EN FORMA EXPONENCIAL. CON ELLA EL PAN SE AMASA SOLITO Y NUESTRA TAREA SE SIMPLIFICA HASTA CONVERTIRSE EN PRÁCTICAMENTE RESIDUAL: MEZCLAR Y POCO MÁS. POR ESTE MOTIVO TE RECOMENDAMOS ESTE MÉTODO. ES EL QUE UTILIZAMOS EN LA MAYORÍA DE RECETAS DE ESTE LIBRO.

• Para este amasado, **mezclamos inicialmente los ingredientes** según la receta (nosotros hemos comprobado el buen resultado de añadir también la levadura aunque la ortodoxia del referente Raymond Calvel invite a añadirla posteriormente). Mezclamos durante unos segundos hasta que se convierta en una mezcla homogénea. En ese momento sacamos la masa del bol y la dejamos **reposar unos diez minutos.**

• **Durante este tiempo de reposo, la harina absorbe el agua** y las moléculas enzimáticas (proteasas) presentes en ella de forma natural se encargan de segmentar las largas cadenas de gluten en otras más menudas. Estas acabarán formando la red que da estructura al pan y capturarán el gas para que resulte esponjoso.

• **Realizamos un segundo plegado para finalizar la fase de amasado.** Para facilitar los plegados, es útil untar ligeramente con aceite la superficie de trabajo. Según la receta a partir de aquí dejamos que la mase doble su volumen (en recetas muy hidratadas o con mucho contenido en grasas necesitaríamos 10 minutos más de reposo y otro plegado).

3. Fermentación y reposo

LA FERMENTACIÓN ES EL PROCESO QUE OCURRE CUANDO LAS LEVADURAS AÑADIDAS A LA MASA SE DEDICAN A ZAMPAR RICAMENTE LOS AZÚCARES PRESENTES EN EL CEREAL. EN SU FESTÍN LIBERAN GAS DIÓXIDO DE CARBONO Y ALCOHOL. EL PRIMERO QUEDA RETENIDO POR LA RED DE GLUTEN Y FORMA LOS OJOS QUE VEMOS EN LA MIGA, Y EL SEGUNDO SE EVAPORA DURANTE LA COCCIÓN.

Como hemos visto en el apartado anterior, la mayor parte del tiempo la masa está reposando, o sea que la fermentación ocurre mayoritariamente en el reposo, y es importante que las condiciones sean adecuadas para que se desarrolle bien. El nivel de hidratación es clave, y para evitar que la masa pierda humedad conviene pintarla de aceite en su superficie o bien taparla con un paño húmedo. La temperatura ambiente es también crítica: si es demasiado baja el proceso se ralentiza y puede llegar a ser incompatible con un tiempo razonable de panificación; de la misma manera, cuidado con los días calurosos porque las levaduras se ponen en modo hiperactivo y todo se acelera como en una película de superhéroes pasados de rosca. No pasa nada, un poquito de experiencia nos ayudará a saber controlarlo.

Es muy importante respetar los tiempos de reposo, en ellos nuestro pan desarrolla los sabores que lo harán sabroso y especial. Para ser panadero hay que ser paciente. Es lo que hay.

TRUCO:

Para conseguir un pan rústico, con un alveolado irregular, es vital realizar bien el plegado y el estirado.

4. Los tipos de plegado

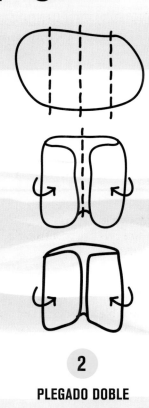

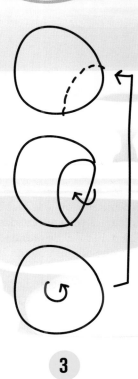

1

PLEGADO SIMPLE

Estiramos la masa en forma aproximadamente rectangular, y la dividimos de forma imaginaria en tres partes. Doblamos la parte de abajo hacia arriba, y después la parte de arriba hacia abajo sobre las otras dos, como si fuese un tríptico.

2

PLEGADO DOBLE

Estiramos la masa en forma rectangular, y la dividimos (de forma imaginaria) en cuatro partes. Doblamos las dos partes exteriores hacia el centro sobre sí misma, y después doblamos el resultado por la mitad como si cerráramos un libro.

3

PLEGADO "DEL PAÑUELO"

Estiramos la masa en forma redonda. **Cogemos un segmento del borde, y lo plegamos hacia el centro, giramos ligeramente la masa, cogemos otro segmento y lo plegamos hacia el centro.** Vamos girando la masa hasta plegar todo el borde. Luego volteamos el conjunto de forma que los pliegues queden en la parte de abajo.

Los panaderos nos regalamos pan en las bodas. Queda claro que para nosotros el pan es obsequio para ocasiones especiales, ¿verdad?

Panes para regalar

Daniel te propone estas recetas ideales para que las ofrezcas a ese alguien especial que solo tú sabes.

Regalar pan es, además de un acto simbólico de tremendo calado cultural, una forma original y sabrosa de demostrar aprecio. En esta sección encontrarás panes especialmente festivos y vistosos con los que mostrar cariño a tus seres queridos.

Capítulo 1
Regalando pan

A ver cómo nos lo montamos para que no nos salga cursi un texto que habla de pan, regalos y amor. Amor. Pongamos ya la palabra de entrada: quien da primero da dos veces y en realidad hablamos de que regalar pan es regalar amor. Además del simbolismo –los cristianos elevan el pan a símbolo corpóreo de la deidad, quién puede superar eso–, suele suceder que quien obsequia un pan lo hace movido por el recuerdo de un instante que le emocionó o sorprendió.

A menudo en Panes Creativos recibimos la visita de clientes que nos piden un pan concreto, un pan que tienen anclado en la memoria por alguna razón, y quieren que lo envolvamos para regalar. Anhelan transmitir a otro ser querido ese momento especial o, como mínimo, facilitarle el desencadenante que a ellos les causó un instante de placer intenso que casi siempre está asociado a una emoción.

Regalar pan es regalar una chispa que prendió un fuego con la esperanza de que vuelva a arder en el paladar de una persona querida.

Se empieza apreciando el pan como elemento gastronómico, se continúa elevando su consideración a parte imprescindible de una comida de calidad y se termina con la necesidad interior de difundir al mundo la pasión por el cereal bien panificado.

Dándole vueltas a nuestro lado más friki, tenemos el convencimiento que cuando alguien regala pan ese tránsito hacia el lado oscuro se ha completado y no hay vuelta atrás.

Desde el obrador en Barcelona los panes creativos han viajado muy lejos en forma de regalo –han llegado a Colombia, que nos parece ciertamente mucho viajar–, en forma de regalo sorprendente, porque también se busca la sorpresa cuando se regala pan. De hecho, uno de los mejores recuerdos en la familia Jordà es la cantidad de clientes de todas partes de España que traían al obrador familiar los distintos panes de cada pueblo. Mil pueblos, mil panes y mil sonrisas de felicidad.

LA POESÍA

¡Leamos un poco antes de tocar la harina!

"

*Beso sentado
en su sillón favorito...
se fija en tus manos... fuertes
y delicadas... hechas para el trabajo,
la caricia o la guerra...*

Deja que suene:

"LOVE IS IN THE AIR"
de JOHN PAUL YOUNG

Esta receta es típica de la **Navidad venezolana**, pero nosotros nos la regalamos todo el año porque nos parece una joya panificada.

Pan venezolano

CON UNA MASA UN TANTO DULCE, PERO **RELLENA DE JAMÓN DE YORK, TOCINO, ACEITUNAS VERDES Y PASAS,** ES UNA MEZCLA PERFECTA ENTRE DULCE Y SALADO, QUE MUESTRA LA INDISCUTIBLE RIQUEZA DE LA CULTURA GASTRONÓMICA VENEZOLANA.

Ingredientes para la masa

500 g de harina de fuerza

40 g de azúcar

10 g de sal

100 g de masa madre (opcional)

250 g de leche

200 g de mantequilla

100 g de agua

15-20 g de levadura

Ingredientes para el relleno

Olivas verdes deshuesadas

Jamón York en lonchas

Bacón limpio de ternillas y corteza

Pasas sin pepita

Y ¿cómo se prepara esto?

 1

Mezclamos los ingredientes secos y posteriormente añadimos los líquidos. Realizamos el amasado básico mediante autólisis como se explica en la página 21. Tras el segundo reposo formamos piezas de 200 g.

 2

Estiramos bien la masa hasta formar una plancha de 4-5 mm de grosor. Extendemos los ingredientes de relleno sobre la masa estirada y la enrollamos hasta que quede como un cilindro. **Opcional: pintar con huevo para mejorar el acabado.**

 3

Cocemos en el horno durante 12-15 minutos a 210 ºC.

EL TRUCO:

Acompaña este pan con un buen vino blanco seco. ¡Es un matrimonio perfecto!

Recetas
con
mucho
l♥ve

Los panes circulares
se asocian
históricamente a
panes que simbolizan
y homenajean al sol.

Rosca de chocolate

¿A QUIÉN NO LE GUSTA EL CHOCOLATE? POCOS PUEDEN RESISTIRSE ANTE UNA MEZCLA COMO EL PAN Y EL CHOCOLATE. BILLETE DIRECTO Y DULCE HASTA LA INFANCIA.

Ingredientes

500 g de harina de fuerza
100 g de azúcar
10 g de sal
300 ml de leche
100 g de mantequilla
40 g de levadura
100 g de masa madre (opcional)
250 g de gotas de chocolate

REGALA
alimento para el alma. ¡Que nadie se quede con hambre!

Y ¿cómo se prepara esto?

 1
Mezclamos los ingredientes secos de la masa (excepto las gotas de chocolate), añadimos los líquidos y realizamos el amasado básico mediante autólisis como se explica en la página 21.

 2
Extendemos la masa formando una plancha y añadimos las gotas de chocolate. **Si las ponemos en un borde quedarán localizadas en el centro, si las esparcimos quedarán repartidas por todo el pan.**

3
Enrollamos y unimos los extremos para formar una rosca. Pintamos con leche la superficie para dar un acabado brillante.

 4
Cocemos en el horno durante 12-15 minutos a 180 ºC.

Babka

NACIDO EN EUROPA CENTRAL Y DESARROLLADO EN ISRAEL, EL BABKA SE HA CONVERTIDO EN LOS ÚLTIMOS TIEMPOS EN **LA SENSACIÓN DE LA GRAN MANZANA.** AHORA OS DESCUBRIMOS SU SECRETO.

Dónde lo conocí...

Catherine, nuestra gran amiga y *stagiaire* **de Nueva York,** nos habló de este pan y, tras un viaje, nos trajo uno de regalo. El amor por el babka surgió al instante y no hay día sin babka en nuestro obrador. Cathy me ayudó a preparar mi inglés a cambio de clases de panadería. Ella ya es una excelente panadera, ¡mi inglés sigue siendo un desastre!

Ingredientes para la masa

250 g de harina
80 g de leche
60 ml de agua
50 g de mantequilla
5 g de sal
15 g de levadura
15 g de azúcar

Ingredientes para el relleno

100 g de mantequilla a temperatura ambiente, blandita
75 g de azúcar
15 g de cacao puro en polvo
Canela y vainilla al gusto

NYC

No hay día sin babka en nuestro obrador.

1 Mezclamos los ingredientes para la masa. Primero los secos y posteriormente añadimos los líquidos.

2 Realizamos el amasado básico mediante autólisis como se explica en la página 21.

3 Tras el segundo reposo, extendemos la masa formando una plancha y repartimos la mezcla del relleno sobre la superficie.

4 Enrollamos como un cilindro. Es opcional depositarlos en moldes o cocerlos directamente. Cocemos a 200 ºC 20 minutos.

PANES del MUNDO

La textura cebrada es un adelanto visual de su textura compleja y en cierta manera hojaldrada.

Capítulo 2
Panes con historia

Tras cada pan hay una historia de amor. Con el paso de los años, quienes han pasado por el obrador son parte importante del camino. Cathy fue *stagiaire* con nosotros y de su periplo y esfuerzo nos quedó –además del excelente recuerdo cómplice– la querencia por los plátanos sobremadurados; plátanos negrísimos como el carbón, donde la manchita externa ha conquistado la piel casi entera, señalando que los azúcares interiores están en modo de máxima expresión: fruta madura y golosa. Cathy nos presentó su *banana bread* y Alex se encargó de adaptarla y versionarla con el particular acento francés (receta en la página 39).

El *banana bread* es uno de esos panes de miga compacta y húmeda que se encuentran a mitad del camino que conduce a la familia de los cakes. Aunque en nuestra receta hemos potenciado más su carácter de pan y no hemos tomado como base la receta yanqui tradicional sino una base de *pan d'epices* francés; es decir, con presencia de miel y una buena proporción de harina de centeno. Estos dos elementos ayudan a que ni durante el levado ni durante la cocción, el pan suba en exceso, manteniendo un carácter compacto y denso.

Es conveniente señalar que cuando añadimos azúcares o miel a la masa los panes terminan siendo más tiernos y blandos.

El dulce también ralentiza la fermentación –recordemos que el azúcar es un conservante– y contribuye a que el color final tras la cocción sea más intenso y oscuro. La corteza morena se forma por caramelización de los azúcares naturalmente presentes en la harina, y se intensifica si los hemos añadido como ingredientes en nuestra receta. Conviene pues tener en cuenta, cuando cocinemos panes enriquecidos con azúcares o miel, que la cocción para piezas grandes ha de ser suave. De esta forma el calor podrá llegar hasta el centro de la pieza sin tostar o quemar la superficie antes de tiempo.

La utilización de harinas bajas en gluten o con gluten más debilucho y dormilón –ya nos perdonarán los técnicos de la cosa: es una forma de expresarlo– es el otro punto clave para los panes del tipo *banana bread*: la red proteica del gluten es más débil, por lo que no suben tanto.

Terminamos con una obviedad... Si queremos un pan de miga húmeda, la proporción de agua en la mezcla ha de ser alta. Puede comparar el lector la proporción de agua en esta receta con otras que aparecen en el libro: ¡los números cantan!

LA POESÍA
¡Leamos un poco antes de tocar la harina!

" *Beso que se sienta a la intemperie pensando en flores púrpura... mientras algunos apilan oro, Cadillacs y novias... ¡yo solo pienso en ti, en panes y noches! ¡Yencimaselesquiereoiga! ¡Wepanmendruguillos!*

Deja que suene:
"LO MÁS BONITO DEL MUNDO"
de DELAFÉ

panes con chicha

Empanar es una forma tradicional no solo de conservar y facilitar el transporte, sino también de enriquecer, que además es lo que más nos gusta a nosotros, claro.

Empanada de pesto y cebolla caramelizada

EL PESTO NOS ENAMORA. ES UNA SALSA ESTANDARTE DE UNA FORMA DE ENTENDER LA GASTRONOMÍA EN QUE EL PRODUCTO Y LA INTENSIDAD DEL SABOR SON LOS GRANDES PROTAGONISTAS. **"ITALIAN POWER".**

Ingredientes para la masa

500 g de harina
Media lata de cerveza
75 g de aceite de oliva
10 g de sal
2 g de levadura de panadero
1 huevo (mejor si es de calibre pequeño)

Ingredientes para el relleno

Cebolla caramelizada
Salsa pesto
Aceitunas
Mozzarela

Y ¿cómo se prepara esto?

 1
Mezclamos los ingredientes de la masa. **Si la textura es muy dura podemos añadir algo más de cerveza.**

 2
Amasamos con suavidad durante 2 minutos, y seguimos con el proceso de amasado por autólisis según se explica en la página 21.

 3
Cortamos y boleamos porciones de 70 g. **Se pueden guardar en la nevera para que cojan cuerpo e incluso tenerlas hechas de la víspera.**

 4
Estiramos y aplanamos con un rodillo hasta formar una circunferencia delgada. Rellenamos con salsa pesto, cebolla caramelizada y el resto de ingredientes. Pintamos con huevo y horneamos a 215 ºC durante 12-15 minutos.

Recetas con mucho love

Forma parte de la familia de los 'panes rápidos', y por ello se utiliza impulsor químico (levadura en polvo) y no levadura de panadero.

¡mmmm!

Banana bread

DE MASA HÚMEDA Y MUY JUGOSA, ESTE PAN COMBINA UNA GRAN FUERZA AROMÁTICA CON EL SABOR DULCE DEL PLÁTANO. UNA GOLOSINA *PANARRA*, VAMOS.

Ingredientes

225 g de plátano maduro (cuanto más, mejor, si puede ser..., casi negro)

225 g de azúcar moreno

50 g de miel

225 g de huevo

175 g de harina blanca

175 g de harina T-80 o integral

3 g de canela

2 g de nuez moscada

2 g de vainilla

3 g de sal

20 g de impulsor o levadura tipo Royal

125 ml de leche

25 g de aceite de girasol

Y ¿cómo se prepara esto?

Picamos el plátano y lo mezclamos con el azúcar y la miel hasta conseguir una papilla grumosa y rústica.

Añadimos el huevo y mezclamos bien. **Añadimos las dos harinas, pasando la harina blanca por un tamiz para que no se formen grumos.** También añadimos las especias, la sal y el impulsor. Mezclamos bien.

Añadimos la leche y el aceite. Con la mezcla final rellenamos unos moldes rectangulares de los utilizados para el pan de molde.

Cocemos a 175 °C durante 20-30 minutos dependiendo del tamaño. Si al pinchar con un cuchillo la hoja sale limpia es que ya está listo.

Pão de queijo

UTILIZAMOS QUESO RALLADO, QUE PARA LOS MÁS VALIENTES PUEDE SER INCLUSO PARMESANO, **DE GRAN POTENCIA SÁPIDA, CON MATICES DE NUEZ Y AROMA PRONUNCIADO.**

BRASIL

Gran capacidad para maridajes atrevidos.

Dónde lo conocí...

El pan nacional de Brasil me lo descubrió una gran cocinera de ese país, Natalie Jewell, una loca y apasionada *panarra* como yo. A pesar de ser un pan fácil sin prácticamente fermentación ni levadura, su capacidad para maridajes atrevidos y creativos nos decidió a realizar este viaje gastronómico.

Ingredientes

200 ml de leche
200 ml de aceite
200 g de agua
500 g de almidón
de yuca dulce o agrio
4 huevos

350 g de queso rallado
de calidad, por ejemplo,
parmesano rallado
Un pellizco de sal

 1

Hervimos la leche junto al aceite, la sal y el agua. Mezclamos este líquido con el almidón de yuca mientras aún está caliente.

 2

Esperamos y enfriamos la mezcla. En este momento añadimos los huevos uno a uno, y vamos mezclando e integrándolos.

 3

Añadimos el queso y mezclamos hasta que todo forme un conjunto homogéneo. Formamos bolas y las ponemos sobre una bandeja forrada de papel de horno.

 4

Cocemos a 180 °C durante 30-40 minutos dependiendo del tamaño de las bolas.

PANES del MUNDO

El pan de queso brasileño se come caliente como aperitivo o en el desayuno. Tómalo acompañado de té, como lo hacen en Brasil.

Capítulo 3
Panes de fiesta

Existen panes asociados a fechas y fiestas tradicionales. Uno de ellos es el pan de muerto (receta en la página 48). Pan festivo con un nombre paradójico, en nuestras coordenadas culturales, claro. Este nombre aparentemente lúgubre refleja en realidad la relación franca y directa que los mexicanos tienen con la parca. La muerte en su sociedad está menos escondida que en la nuestra. Una vez al año esta relación se vuelve desacomplejadamente festiva. Cuando octubre muta en noviembre, en España se celebra la fiesta de Todos los Santos, y en México el Día de Muertos. Aun con el envoltorio católico, esta festividad acoge en su raíz las tradiciones precolombinas, algunas de ellas bien salvajes, como los rituales de sacrificio humano una vez concluido el ciclo estival de cosecha.

Cuando los conquistadores prohibieron estos sacrificios, la ceremonia mortal mutó en simbólica, y según algunos estudiosos el corazón de la víctima fue sustituido por una pieza de pan pintada de rojo que el oficiante devoraba. De esta pieza podría descender el actual pan de muerto. Otros historiadores atribuyen el origen –también altamente simbólico– a la costumbre de enterrar un pan cocinado con amaranto (semilla herbácea tradicionalmente utilizada en la cocina mexicana prehispánica) entre los enseres de los fallecidos. Ajuar postrero y definitivo con pan de por medio. Nos gusta.

Estos panes ceremoniales podían tener formas diversas (deidades, animales...) y por ello en el actual México existen numerosísimas variantes locales de pan de muerto: formas, recetas y acabados múltiples que en ocasiones incluyen elementos que representan los huesos del difunto. Todas ellas son propuestas que conectan la vida presente con la de aquellos que nos han precedido. El ciclo de la vida. Otra vez el pan –elemento que renace cada día– como ítem simbólico, la comunión *panarra*.

Nuestro pan de muerto es de miga dulce y forma redondeada, con cruz externa que arrastra también significado prehispánico: las cuatro direcciones del universo y las cuatro principales divinidades del momento. La receta nos la pasó generosamente Carlos Ramírez Roure, panadero de México DF y descendiente de militar republicano exiliado y catalán. ¡Gracias, Carlos! Terminamos con un refrán popular algo egoísta pero definitivamente apasionado y *panarra*: «Llévate mi alma, quítame la vida, pero de mi pan de muerto, ni una mordida».

LA POESÍA
¡Leamos un poco antes de tocar la harina!

Beso que me trae ese silencio...
gracias al conjuro de repetir tus
versos mientras cambian los
semáforos...
sigo a flote... ¡todavía!
¡yencimaselesquiere... oiga!
¡Venga que ya queda menos!
¡Wepan... ninnundis!

Deja que suene:

"RIVER DEEP MOUNTAIN HIGH"
de IKE & TINA TURNER

panes con chicha

Este pan de contrastes admite muchas variaciones. Por ejemplo, utilizar otro licor, como puede ser la ratafía o similar, en lugar de moscatel.

Pan con pesto y pasas maceradas con moscatel

EL CONTRASTE DE UN INGREDIENTE DULCE EN UN PAN SALADO PUEDE SER UN GRAN ELEMENTO GANADOR. NO TE CORTES... ¿QUIERES PROBARLO CON CIRUELAS PASAS?

Ingredientes

300 g de harina blanca
200 g de harina integral
250 g de agua
10 g de sal
15 g de levadura
50 g de uva moscatel

Aromas y sabores

200 g de salsa pesto
200 g de pasas sin pepita
Vino dulce moscatel

EL TRUCO:

Podemos formar barras más finas y trenzarlas tras el segundo levado.

Y ¿cómo se prepara esto?

Mezclamos en un bol todos los ingredientes excepto el pesto, el vino y las pasas. Realizamos el amasado básico mediante autólisis como se explica en la página 21.

Maceramos las pasas en el moscatel. Estiramos la masa con forma rectangular, esparcimos bien las pasas y el pesto por encima. Realizamos un plegado sencillo y dejamos reposar 10 minutos. Estiramos otra vez y volvemos a plegar en el otro sentido. Dejamos reposar tapado para que no se deshidrate.

Cuando ha doblado el volumen, formamos piezas de 100 g y con cada una formamos una pequeña barra y las dejamos levar (fermentar).

Cuando han doblado el volumen las horneamos a 210-220 ºC durante unos 12-15 minutos.

Este pan de la familia de los brioches suele decorarse también con un huevo duro cuando no se dispone de una figurita del Niño Jesús.

Cougnu

PAN DE ORIGEN BELGA, **TÍPICO DE LAS FIESTAS NAVIDEÑAS.**
DE HECHO TAMBIÉN SE CONOCE COMO **PAN DE JESÚS.**

Ingredientes

500 g de harina de fuerza
100 g de azúcar
5 g de sal
75 g de huevo
250 g de leche
100 g de mantequilla
35 g de levadura
100 g de pasas

EL TRUCO:
Dice la tradición
que puede decorarse
con una pieza de
juguete en forma
de niño.

Y ¿cómo se prepara esto?

1

Mezclamos los ingredientes excepto la levadura y las pasas. Es lo ideal cuando hay un contenido graso alto. Mezclado suave y reposo de 10 minutos.

 2

Estiramos la masa, desmenuzamos la levadura encima de la masa y la hidratamos con leche, intentando no hidratar en exceso la masa en este paso. **Nos interesa una masa final no demasiado blanda.** Amasado suave y otra vez 10 minutos de reposo.

 3

Amasamos brevemente y dejamos reposar hasta que la masa doble su volumen. Cortamos en piezas de 200 g. **Formamos barras en punta y acabadas en botón abultado..., una forma antropomórfica.** Reposamos hasta que doblen el volumen.

 4

Pintamos con huevo y añadimos azúcar perlado. Cocemos al horno a 180 ºC durante 12-16 minutos.

Pan de muerto

ES UN TIPO ESPECIAL DE PAN QUE SE PREPARA EN MÉXICO. SE PREPARA DESDE JULIO Y ESTÁ ASOCIADO ÍNTIMAMENTE A LA CELEBRACIÓN DEL DÍA DE DIFUNTOS.

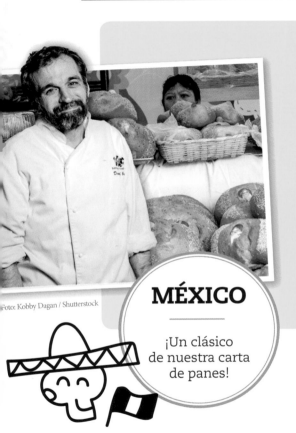

Foto: Kobby Dagan / Shutterstock

Dónde lo conocí...

Carlos Ramírez Roure, referente de la panadería mexicana desde su tienda Sucre y Cacao en la Ciudad de México, nos habló de este pan y nos pasó su receta. Pese a solo comerse en el mes de octubre y noviembre para Todos los Santos, en nuestro obrador lo encuentras todo el año... ¡un clásico de nuestra carta de panes!

Ingredientes

500 g de harina
150 g de azúcar
10 g de sal
85 g de aceite de oliva
180 g de huevo
100 g de leche
85 g de mantequilla

100 g de masa madre
35 g de levadura
Ralladura de 1 naranja
Ralladura de 1 limón
Esencia de vainilla
(2-3 gotas)

MÉXICO

¡Un clásico de nuestra carta de panes!

❶ Mezclamos la harina, el azúcar, la sal, la mantequilla, la leche, el aceite, la masa madre y la mitad del huevo. Trabajamos un poco la mezcla y la dejamos reposar 10 minutos.

❷ Estiramos la masa, añadimos la levadura (**en panes grasos es mejor incorporarla en una segunda fase**) y tras un breve amasado plegamos y dejamos reposar 10 minutos.

❸ Añadimos los aromas y ralladuras, realizamos un plegado y dejamos reposar hasta que doble el volumen. Formamos una pieza de 150 g y dos piezas de 50 g. **Boleamos la primera para que forme el núcleo y estiramos las dos pequeñas en forma de churro con los dedos abiertos para que se formen pequeños bultos y no sea regular.**

❹ **Cruzamos las dos estiradas o 'rosarios' sobre la bola central formando una cruz.** Pintamos con huevo y dejamos que doble el volumen. Cocemos en el horno a 180 ºC durante unos 15 minutos.

PANES del MUNDO

En México es habitual colocar en el centro del pan, sobre la cruz, una pequeña calavera de azúcar que simboliza a los difuntos.

#Reto1

MASA MADRE

SOY DE LA OPINIÓN DE QUE HACER Y TENER MASA MADRE
DEBE SER UN ACTO LÚDICO QUE NOS ACERQUE CON ALEGRÍA
AL MUNDO DEL PAN... MÁS QUE UNA TÉCNICA APRENDIDA
PARA REPROBAR A TODO EL QUE NO SABE.

el Reto

¿Te atreves?

Ya conoces a Daniel y sus retos.
Prueba a hacer una de estas recetas y sé
el primero en subir la foto de tu resultado
en facebook. ¡Llegarás a ser famoso!

primer día

Echamos en un bol de vidrio o plástico (se recomienda que no sea de metal): 70 g de harina de centeno integral (mejor opción), o bien trigo integral, 90 g de agua (a una temperatura de 30° a 35°C) y 2 g de miel. Mezclamos suavemente todos los ingredientes y lo dejamos cubierto con un papel film.

Esta mezcla es muy importante que repose durante al menos 24 horas en un sitio a temperatura de 24° a 27°. En el caso de no tener esta temperatura por las condiciones de la cocina o la época del año, podéis aumentar la temperatura del agua a unos 37° o 38°C.

segundo día

Pasadas las primeras 24 horas debemos refrescar la masa, es decir, coger una parte y añadirle harina y agua. Tomamos 80 g del fermento (la mitad de lo que hicimos; el resto lo desechamos) y le sumamos 40 g de harina integral de centeno, 40 g de harina blanca (mejor no de fuerza), 100 g de agua (de 35° a 38°). Nuevamente lo dejaremos reposar tapado con papel film, recordando la importancia de conseguir una temperatura adecuada de 24° a 27°.

Tras 12 horas debemos volver a repetir la operación, teniendo en cuenta que si nos excedemos un poco (hasta 15 horas) no pasa nada. Hay que ser pacientes, ya que todavía no veremos actividad enzimática.

tercer día

Repetimos el mismo procedimiento de refresco que el día anterior. En esta ocasión, cogeremos 80 g de la mezcla del refresco anterior y la mezclamos con 70 g de harina blanca de trigo (mejor no de fuerza) y 90-100 g de agua. Seguiremos la misma dinámica para los días siguientes..., y cada 12 horas, así que **muchos ánimos, que el ser panadero en prácticas cuesta su esfuerzo pero el resultado será genial.**

Dejamos todo tapado. Lo que queda del día anterior se tira. Dejando atrás la harina de centeno, notaremos que con la harina de trigo el proceso se ralentiza..., **la masa se reprime un poco y quizá la textura sea un poco más firme.**

Refresco final

Tras seis días cogeremos nuestra masa y le haremos el refresco final, de forma que podamos guardarla en un frasco con cierre (que simule el efecto vacío).

Partimos de 85 g de masa a la que añadimos 170 g de harina y 170 g de agua. Mezclaremos finalmente en un recipiente con tapa (de cierre hermético y lengüetas de plástico).

Lo guardaremos en la nevera hasta que lo vayamos a utilizar (4 días para utilizarla en un pan, y máximo 1 semana si le hacemos otro refresco).

ATENTOS
Si veis que es mucha cantidad podéis poner la mitad de los ingredientes.

Una de MARIDAJE

Pão de queijo, ideal para rellenar con una hamburgesa, salsa y un toque vegetal.

¿Con quién casamos este panecillo?

HABÍA UNA VEZ UNOS PANES QUE NACIERON PARA SER DEGUSTADOS EN MUY BUENA COMPAÑÍA... **AQUÍ TE PROPONEMOS ALGUNAS ALIANZAS DE LO MÁS AMOROSAS.**

Babka   **Helado de turrón**

Doramos una rebanada con mantequilla en una plancha y acompañamos con helado de turrón.

Banana bread   **Infusión**

Una reconfortante infusión de cardamomo combina de fábula con el plátano.

Pão de queijo   **Lomo ibérico**

Rellenamos el pan con un buen lomo ibérico pasado por la plancha y unos berros. Si eres atrevido añade un poco de calabaza asada.

Pan de muerto   **Crema de naranja**

Rellena con crema de naranja estilo inglés (*orange curd*) o la versión limonera (*lemon curd*).

Los detalles marcan a menudo el éxito de un ágape. Un gran pan de restaurante de alta cocina puede ser ese detalle fundamental.

Bienvenidos al restaurante de mi casa

En casa podemos gozar de panes de alto standing. En esta sección encontrarás recetas que Daniel ha desarrollado junto y para grandes chefs.

Las puedes encontrar en las mesas de sus restaurantes... y en tu casa, claro. Panes gastronómicos a tu alcance.

Capítulo 4
Panes de restaurante

Todos los panes tienen un valor simbólico: amamos todas la migas esponjadas abrazadas por cortezas crujientes. La pasión no conoce mayor mérito que reconocerse arrebatada y disfrutar con ello. Aun así, algunos panes atesoran un valor añadido, bien por su dificultad de elaboración, la originalidad de sus ingredientes o una presentación sofisticada y espectacular.

Los hemos bautizado 'panes de restaurante' aunque sean para hacer y consumir en casa. Panes atrevidos con perfil marcadamente gastronómico que sorprenden al comensal. Cuando nació Panes Creativos, pasearse por los grandes restaurantes de la ciudad (primero) y de todo el país (justo a continuación) fue tarea prioritaria para progresar en un mundo tan competitivo como apasionante.

La alta cocina precisaba de panes que rompieran los límites establecidos; panes capaces de colaborar en un discurso que en su momento fue disruptivo y vanguardista. Panes nunca vistos.

Hoy en día esta voluntad de investigar ha tomado también al asalto los hornos de las casas particulares. No es extraño encontrar panaderos aficionados que experimentan y van más allá de las recetas tradicionales. Y en nuestra opinión –que siempre ha sido que el pan es una de las maneras más directas que existen para democratizar la gastronomía, y en nuestro obrador los clientes se pueden llevar a casa por dos euros el pan que se degusta en restaurantes con muchas estrellas Michelin– este es un fenómeno positivo.

La actitud curiosa no es incompatible con el rigor y el método. Lanzarse a probar combinaciones nuevas requiere una cierta base, pero no exige años de experiencia. Como en el *rock & roll*, el pan creativo es una actitud.

Esto no significa que la experiencia no sea un extraordinario aliado, por supuesto. Saber que si añadimos un elemento ácido a nuestro pan podemos afectar negativamente a la levadura (¡recordemos, es un elemento vivo!) o que la cebolla tiene efectos irregulares en el desarrollo de la masa, son cosas que el ensayo y error irán enseñando al panadero entusiasta. Sin embargo, la curiosidad y las ganas de progresar siguen siendo el mejor ingrediente para atreverse con un buen 'pan de restaurante'.

LA POESÍA
¡Leamos un poco antes de tocar la harina!

"

Beso que de la nada
hace un poema. Nuestro vacío,
nuestras soledades, las derrotas
diarias, los panes quemados
y muchas metáforas del héroe
que llevamos dentro.
Y aunque sea un pesado,
¡te sigo buscando!

Deja que suene:
"DO YOU MIND"
de ROBBIE WILLIAMS

panes con chicha

La mortadela de calidad es un embutido exquisito, pero hay que huir de las versiones cutres, grasientas y con sabor poco elegante.

Pan de mortadela a la trufa blanca

ESTE PAN ES COMO UN ASCENSOR SOCIAL DEL PALADAR: SOFISTICACIÓN TRUFERA Y HUMILDAD DE MORTADELA. COMBINACIÓN CLÁSICA ITALIANA, POR CIERTO.

Ingredientes

500 g de harina de fuerza

12 g de sal

70 g de azúcar

150 g de leche

150 g de agua

150 g de mantequilla

10 g de aceite a la trufa blanca

25-30 g de levadura

200 g de mortadela cortada gruesa y luego cortada en pequeños dados

Y ¿cómo se prepara esto?

 Mezclamos todos los ingredientes excepto la levadura y la mortadela, que conviene añadirla posteriormente en las recetas con grasa. Dejamos reposar 10 minutos.

 Estiramos la masa y añadimos la levadura desmenuzada un poco hidratada con leche. Amasamos suavemente y dejamos reposar 10 minutos.

 Estiramos en forma rectangular, repartimos la mortadela por encima y damos un plegado simple. Dejamos reposar 10 minutos. Estiramos de nuevo y repetimos el plegado simple ahora en sentido contrario. Dejamos reposar y esperamos que doble el volumen.

 Cortamos piezas de 200 g, que boleamos y dejamos reposar. Tras doblar su volumen las pintamos con huevo y **realizamos con una tijera algún corte en su parte superior.** Horneamos a 180°C durante 12-15 minutos.

Las patatas violetas o *vitelotte* tienen un elevado contenido de almidón y un sabor suave. Su color se debe a un pigmento vegetal de sus células.

Pan de patata violeta

AÑADIR PATATA AL PAN ES TÍPICO DE ALGUNAS COCINAS, COMO LA MALLORQUINA (COCA DE PATATA) O LA CANARIA (PAN DE PAPAS). EN NUESTRO CASO ES UN JUEGO VISUAL PARA HACER
UN PAN QUE POR DENTRO PARECE UN DÁLMATA.

Ingredientes

500 g de harina de fuerza
250 g de agua
25 g de miel
10 g de sal
10 g de levadura
75 g de patata violeta rallada
50 g de patata normal rallada
Opcional: colorante vegetal azul

Y ¿cómo se prepara esto?

 1

Amasamos todos los ingredientes excepto las patatas. Dejamos reposar durante 10 minutos la mezcla, que habrá formado una masa densa y dura.

2

Dividimos la masa en 2 partes iguales y a cada mitad le agregamos un tipo de patata rallada. **Podemos acentuar el violeta de la masa de color con algún colorante alimentario.** Mezclamos cada parte por separado y damos 10 minutos de reposo.

 3

Formamos piezas de la longitud del molde que vamos a utilizar. Disponemos las piezas de los dos tipos de masa: las podemos colocar de forma arbitraria o buscando una cierta geometría. **Dejamos que ya en el molde la masa fermente y doble su volumen.**

 4

Cocemos a 200 ºC durante 20 minutos. **Si cocemos más cantidad en un molde de mayor capacidad el tiempo requerido será lógicamente superior.**

Pan de cacahuete y lima

ESTE PAN DE APARIENCIA TAN DIVERTIDA ES SENCILLO DE HACER PERO SU MEZCLA DE SABORES DA UN RESULTADO ESPECTACULAR:
EL SABOR DEL CACAHUETE CON MATICES CÍTRICOS.

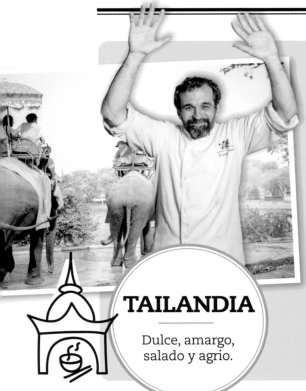

TAILANDIA

Dulce, amargo, salado y agrio.

Dónde lo conocí...

Inspirado por algunos artistas orientales que formaron parte de una exposición en un reconocido museo de arte contemporáneo de Barcelona, me divertía la idea de fusionar lo nuestro con lo de los países considerados, gastronómicamente, de los más ricos de Asia.

Ingredientes para la masa

500 g de harina de fuerza

30 g de azúcar

10 g de sal

50 g de huevo

50 g de aceite

75 ml de agua

125 g de yogur de limón

150 g de mantequilla

20 g de levadura

Ingredientes invitados

La piel rallada de 2 limas kaffir

100 g de cacahuete tostado y salado

100 g de naranja confitada (opcional)

Colorantes alimentarios amarillo y verde para conseguir un color parecido al verde lima

 1

Mezclamos todos los ingredientes de la masa, sin añadir los 'invitados'. Dejamos reposar durante 10 minutos. Añadimos los colorantes y amasamos para unificar el color.

 2

Estiramos la masa en forma rectangular y añadimos la piel de las limas, los cacahuetes y la naranja confitada. Realizamos un plegado simple y dejamos reposar 10 minutos.

 3

Estiramos de nuevo la masa y realizamos otro plegado simple en sentido contrario y dejamos reposar 10 minutos. Cortamos en piezas de 30 g y damos forma de bolas. Dejamos reposar hasta que las piezas doblen su volumen.

 4

Volvemos a bolear, y acabamos dándole una forma ovalada con dos puntas simulando una lima. Dejamos que doblen su volumen y horneamos a 180 ºC durante 6-8 minutos.

PANES del MUNDO

La cocina thai hace un uso intensivo del cacahuete hasta convertirlo en ingrediente fetiche. La lima, otro gran ingrediente oriental, refresca y aporta toques cítricos.

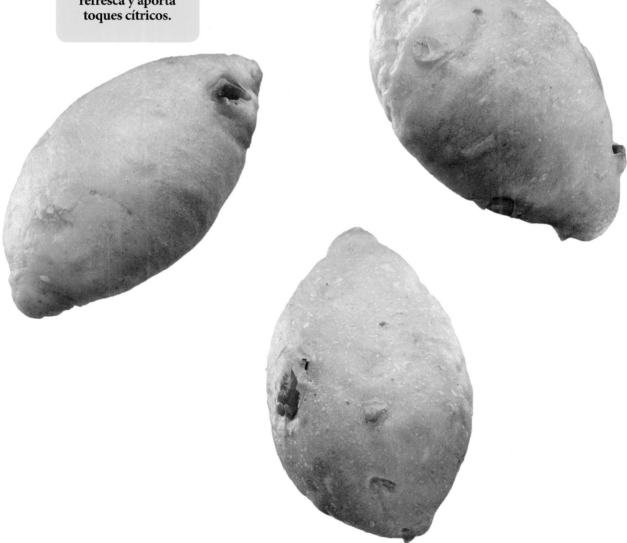

Capítulo 5

Panes con estrella

La alta cocina es un ecosistema exigente. Un motor de alta potencia que empuja sin descanso hacia la excelencia, y en ocasiones también hacia la creatividad. También es muy competitivo, claro, darwinismo *panarra* y radical. Tenemos algunos ejemplos, aunque lamentablemente no nos caben todos los que merecen ser nombrados...

Nuestro primer cliente de alta cocina fue el restaurante donostiarra A Fuego Negro, comandado por Edorta Lamo. Con la persiana apenas levantada nos atrevimos a llamar a pelo. Aún hoy nos sorprende (¡gracias!) que aquel amable camarero tuviese la paciencia de escucharnos. Y aún más que transmitiera tan rápidamente nuestra pasión a Edorta y su equipo. En un par de horas nos devolvieron la llamada y ya son siete años de conexión directa con la cocina de vanguardia y con la tapa creativa.

A veces los cocineros te piden caña y no les importa que el pan sea también protagonista. Xavier Franco (Saüc, Les Magnòlies), cocinero de un talento y humildad rayana en lo sobrenatural, nos pidió pan *hardcore*: de olivas verdes, superhidratado y con aroma a hierbas provenzales. Su confianza de años nos honra. Su respeto es un ejemplo a seguir.

En la cocina de Lasarte nos dimos de bruces con la búsqueda inflexible de la perfección, la ingeniería del gluten. Nos pedían un pan de panceta cárnico, ahumado, textura crudo-cocida, y probamos decenas de variaciones hasta llegar a una estructura brutal que aguanta muchísimos ingredientes grasos. Nos enseñaron a sacar cada día nuestro pan con exactitud milimétrica: panadería con pie de rey.

Dani Lechuga (Caldeni, Bardeni) también sirve desde hace muchos años el pan de cerveza negra (la birra, elemento ya fermentado, aporta suavidad en la miga y dulzor final) y recordamos con cariño cómo nació el panecillo negro para su bocadillo de ternera Black Angus: armonía palatal y cromática. Con Dani nos sentimos acompañados en la pasión. Espartaco del fogón, está siempre dispuesto a defender a sus amigos.

LA POESÍA

¡Leamos un poco antes de tocar la harina!

"

Beso aturdido por los días y las calles y los años. Me gusta más la ciudad cuando tiene las luces de neón encendidas. En esas horas amaso alegre a ritmo de melodías magulladas.

Deja que suene:
"PAN CON ACEITE"
de PERET

Si queremos aumentar la cantidad de jamón (¡estamos a favor de los experimentos con cabeza!) tenemos que vigilar: **con la temperatura el jamón aumenta mucho su salinidad**. Vayamos con tiento.

Pan de vino tinto, jamón curado y frutos secos

SOMOS LA PATRIA DEL JAMÓN, Y ESO HAY QUE APROVECHARLO. EN VINO TAMBIÉN SOMOS POTENCIA MUNDIAL, ASÍ QUE EL PANAZO ESTÁ SERVIDO.

Ingredientes para la masa

300 g de harina de fuerza
150 g de harina integral
50 g de harina de centeno integral
10 g de sal
250 g de vino tinto
100 g de agua
5-10 g de levadura

Ingredientes invitados

100 g de jamón cortado en trocitos
100 g de frutos secos variados (nueces, pasas, avellanas, piñones...)
Un puñado de arándanos (opcional)

Y ¿cómo se prepara esto?

 Mezclamos todos los ingredientes, excepto los invitados, empezando por los secos. Realizamos el amasado básico mediante autólisis como se explica en la página 21.

 Tras el segundo reposo añadimos el jamón y los frutos secos. Nos ayudamos realizando un plegado sencillo y repartiendo todos los ingredientes por la superficie de la masa.

 Reposo definitivo hasta que doble el volumen. **El margen en la levadura es por si queremos un pan lento (menos levadura) pero con más sabor, o bien un pan más rápido con más volumen (más levadura).** En los primeros intentos recomiendo usar mayor cantidad de levadura.

 Cortamos la masa en porciones de 200 g y formamos bolas o chuscos rústicos. **Dejamos que doblen el volumen en recipientes o trapos enharinados y protegiéndolos del aire.** Horneamos a 200 ºC durante 20 minutos, generando vapor en el horno inmediatamente antes de la cocción.

Recetas
con
mucho
l♥ve

La pimienta rosa es un poco farsante: no es pimienta de verdad. Pero su aroma es encantador y además es suave y elegante.

Pan de pimienta rosa

ESTE PAN ES UNA APUESTA *ALL-IN* POR LA FRAGANCIA. LOS AROMAS DE ESTA PIMIENTA SON A LA VEZ ELEGANTES E INTENSOS. ¡POESÍA PARA LA PITUITARIA!

Ingredientes

250 g de harina de fuerza
250 g de harina integral
10 g de sal
30 g de miel
200 g de leche
150 g de agua
30 g de aceite
20 g de levadura
10 g de pimienta rosa
Colorante alimentario rojo (opcional)

Y ¿cómo se prepara esto?

 1

Mezclamos todos los ingredientes secos, excepto la pimienta y el colorante opcional, y posteriormente añadimos los líquidos. Mezclamos suavemente y dejamos reposar 10 minutos. Añadimos el colorante y amasamos hasta homogeneizar el color.

 2

Estiramos la masa para realizar un plegado. Antes de plegar esparcimos bien las bolitas de pimienta rosa sobre la masa. Amasamos brevemente y plegamos la masa, para volver a dejarla reposar 10 minutos.

 3

Tras este último reposo hacemos un plegado de pañuelo tal como se indica en la página 23 y dejaremos que doble su volumen.

 4

Cortamos en piezas de pesos diferentes, desde panecillos de 30 g a alguna pieza de más de 100 g, y una vez boleados dejamos que doblen su tamaño. Horneamos a 210 ºC durante 6-8 minutos los de 30 g, y 10-12 minutos las piezas de 100 g.

Pan de té matcha y cacao

ESTE PAN COMPLEJO Y JUGUETÓN COMBINA LA SUTILEZA DEL TÉ MATCHA (MUY UTILIZADO EN LA REPOSTERÍA JAPONESA) CON LA POTENCIA DESBOCADA DEL CACAO. **¡SE NOS DESPEINAN LAS PAPILAS!**

JAPÓN

Combinación compleja y aromática.

Dónde lo conocí...

Una gran amiga del obrador Mayumi nos contaba cosas de ingredientes de su país. El té matcha nos pareció siempre un ingrediente con personalidad para hacer un buen pan, por cómo colorea la masa con esa textura terrosa y por cómo exige una hidratación especial.

Ingredientes

- 30 g de azúcar
- 10 g de sal
- 300 g de leche
- 50 g de agua
- 75 g de mantequilla o aceite

- 500 g de harina de fuerza
- 15 g de levadura
- 15 a 30 g de cacao en polvo
- 10 a 15 g de té matcha en polvo
- 40 g de gotas de chocolate de cobertura

1

Mezclamos todos los ingredientes empezando por los secos (excepto el cacao, el té y las gotas de chocolate). **Vigilemos si nos decantamos por el aceite en vez de por la mantequilla. Si queda demasiado líquida reducimos u obviamos los 50 g de agua de la receta.**

2

Realizamos el amasado básico mediante autólisis como se explica en la página 21. Dividimos la masa resultante en tres partes iguales. A una parte le añadimos de 15 a 30 g de cacao dependiendo del grado de color y potencia deseada. A otra le añadimos de 10 a 15 g de té matcha.

3

Mezclamos bien las diferentes masas por separado y cortamos piezas de 80 a 90 g cada una. Dejamos reposar para que doble el volumen. Con un rodillo formamos planchas de cada masa.

4

Apilamos las planchas poniendo la blanca debajo, luego el cacao y finalmente el té matcha. Esparcimos las gotas de chocolate y enrollamos empezando por una esquina formando una especie de cruasán. Ponemos en bandeja con el cierre hacia abajo y dejamos que doble el volumen antes de hornear a 10°C durante 12-15 minutos.

PANES del MUNDO

El té matcha es un té verde molido originario de China y con un alto significado ceremonial para los japoneses.

EL TRUCO:

Mezclamos bien las diferentes masas por separado y cortamos piezas de 80 a 90 g cada una. Dejamos reposar para que doblen el volumen.

Capítulo 6
Asia

Asia es tan plural (un continente entero, ahí queda eso) como excitante. Para nuestro paradigma –europeo esquinero y sur occidental– el conocer y asimilar la gastronomía asiática con el nada disimulado objetivo de incorporarla a nuestros panes y sacar rédito palatal es tarea gigante. Y forzosamente quedará inconclusa. Solo tenemos una vida y no nos da. Aun así nos aplicamos gozosamente, como modernos Sísifos condenados por los dioses, a ser esponjas panaderas sin final. Nos da lo mismo, porque la curiosidad es una forma de vida.

La mayoría de gastronomías asiáticas de ojos rasgados no panifica sus cereales. Así que cuando en 2012 nos invitaron al World Gourmet Tour Summit de Singapur nos pusimos en modo proselitista. Fueron días intensos, hubo que luchar a codazo verbal para conseguir tiempo de horno –¡sin vapor, cómo sufrieron esas cortezas!–. Cocinas donde el calorazo aceleraba los levados, con ingredientes improvisados y sin las herramientas imprescindibles. Dio igual, de aquella batalla nació un menú de ocho platos combinados con ocho panes y la amistad con una chef a la que queremos tanto como admiramos: Janice Wong.

Ella nos enseñó que la creatividad en las antípodas planetarias es la misma que la de casa. O sea, una actitud y ya. También aprendimos que aunque no tengan tradición panarra, valoran el pan bien hecho y le muestran un respeto que a menudo falta en nuestras latitudes. Bien por ellos.

Para incorporar Asia a nuestros panes, en la maleta nos trajimos amor por los picantes, los cítricos –cuántos panes hemos creado en los que se incorpora la lima o el yuzu, por ejemplo–, por el jengibre y su perfume singular. Por las combinaciones complejas y aromáticas. Una de las más exitosas ha sido el pan de té matcha (té verde de sabor dulce e intenso) contrastado con cacao y chocolate. Y especial cariño le tenemos al pan también asiático del capítulo anterior, de inspiración tailandesa de cacahuete y lima kaffir (parecida a nuestra lima pero de piel irregular, muy aromática).

En casa le damos fuerte a los *dumplings*. Mil combinaciones para descubrir de forma fácil y divertida. Pruébalo, no te arrepentirás.

LA POESÍA

¡Leamos un poco antes de tocar la harina!

"

*Beso con ojos
de invierno propio…
aunque tampoco
haga tanto frío…,
despeinado digo tu nombre
con voz nocturna y los
amaneceres se contagian de ti.*

Deja que suene:

"LOS TOROS EN LA WII (FANTÁSTICO)"
de LOVE OF LESBIAN

panes
con
chicha

Los *dumplings* son bocados delicados, similares a nuestras empanadillas más finas y que se cuecen al vapor o a la plancha.

Janice ♡
Wong

Dumplings
en colaboración con Janice Wong

JANICE WONG ES UNA EXCELENTE CHEF DE SINGAPUR. CON ELLA HEMOS REALIZADO VARIAS COLABORACIONES, ENTRE LAS CUALES DESTACAN ESTOS *DUMPLINGS*.

Ingredientes para la masa

87 g de harina
9 g de agua hirviendo
1 g de sal
26-34 ml de agua fría

Ingredientes para el relleno

380 g de queso en crema
20 ml de aceite de trufa
8 g de piel de limón rallada

Y ¿cómo se prepara esto?

1

Mezclamos la harina con la sal en un bol, añadimos el agua hirviendo y mezclamos. **Añadimos el agua fría lentamente, mezclando cada vez asegurándonos que la mezcla queda homogénea y suave.** La ponemos sobre la mesa y formamos un churro largo de 2 cm de diámetro. Cortamos en porciones de unos 6 g.

2

Aplanamos las porciones con la mano, y con un rodillo las estiramos hasta que sean bien finas. **Cubrimos con un trapo húmedo hasta que sea el momento de rellenar.**

3

Mezclamos los ingredientes del relleno y hacemos porciones de unos 18 g para rellenar los *dumplings* que tenemos reservados. **Sellamos con los dedos mojados formando pliegues en la parte superior de cada *dumpling*.**

4

En una sartén con un poco de aceite caliente, incorporamos los *dumplings* y los doramos. Añadimos medio vaso de agua y tapamos bien para que se acaben al vapor en dos o tres minutos.

Los 'trampantojos' son juegos visuales y sápidos. Un complemento divertido que en ciertos momentos pueden ser una propuesta resultona y festiva.

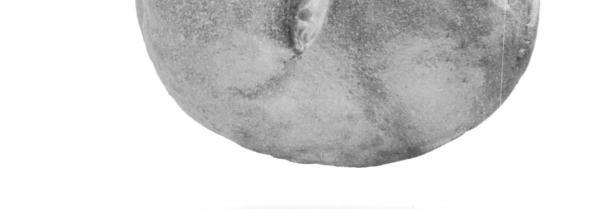

Pan de mandarina

LA MANDARINA ES UN CÍTRICO MUY FRAGANTE, QUIZÁS INFRAUTILIZADO RESPECTO A OTROS MIEMBROS DE SU FAMILIA. EN ESTE CASO, ADEMÁS, **SU FORMA Y MEDIDA ES IDEAL PARA JUGAR VISUALMENTE CON EL RESULTADO FINAL.**

Ingredientes

400 g de harina de fuerza
100 g de harina integral de trigo
30 g de azúcar moreno
10 g de sal
150 g de zumo de naranja
125 g de yogur de limón
75 g de leche
50-100 g de agua
100 g de mantequilla
20 g de levadura fresca de panadero

Ingredientes adicionales

Colorantes alimentarios rojo y amarillo
La piel de 3 mandarinas
100 g de naranja confitada (opcional)

Y ¿cómo se prepara esto?

 1

Mezclamos todos los ingredientes base. Tras un breve amasado dejamos reposar durante 10 minutos.

2

Estiramos ligeramente la masa y le damos un plegado simple. De nuevo dejamos reposar durante 10 minutos. Dividimos la masa en dos porciones, una grande de 750 g y la otra de unos 250-300 g.

 3

A la pieza grande, y con la ayuda de un plegado, le añadimos la fruta confitada y la piel de las mandarinas. A la pieza pequeña le añadimos poco a poco los dos colorantes hasta conseguir un tono naranja de mandarina homogéneo. Dejamos reposar hasta que doblen el volumen las dos piezas.

 4

Cortamos la pieza grande en porciones de 150 g, la pequeña en porciones de 50 g. Boleamos las piezas y dejamos reposar 10 minutos. Estiramos la masa naranja con un rodillo y envolvemos las bolas de masa sin color. Colocamos en la bandeja de cocción con el cierre de la masa hacia abajo y esperamos a que doblen el volumen. Horneamos a 180 ºC durante 15 minutos.

Pan de yuzu y mango

EL YUZU ES UN CÍTRICO ORIENTAL QUE CADA VEZ ENCONTRAMOS CON MAYOR FACILIDAD. ESTE PAN COMBINA SABORES EXÓTICOS MUY SUGERENTES Y UN PUNTO DE ACIDEZ REFRESCANTE.

Dónde lo conocí...

Cuando pienso en Singapur mi cara se ilumina. Allí participé en el **World Gourmet Summit, mi primera experiencia en el extranjero y trabajando codo a codo con Janice Wong.** Este es un pan que se pensó aquí para hacer allí; en nuestro obrador conseguíamos pequeñas botellas de 100 ml de yuzu líquido con alguna dificultad. Pensamos que habíamos llegado al paraíso cuando en Singapur, Jeanice apareció con botellas de 3 litros.

Ingredientes

400 g de harina de fuerza
100 g de harina integral de trigo
25 g de azúcar
10 g de sal
1 yogur de mango
100 g de mango natural

200 g de leche
50 g de avena
(remojada en 100 g de agua)
50-100 g de agua (por si acaso)
20 g de levadura
La ralladura de dos yuzus
(o bien de un limón
y de una mandarina)

1
Mezclamos los ingredientes excepto las ralladuras de los cítricos y la fruta natural. **Es conveniente hidratar muy bien la harina en el primer mezclado, porque luego puede costar más de manejar ya que añadiremos también fruta natural.**

2
Realizamos el amasado básico mediante autólisis (pág. 21). Cortamos piezas de 50-100 g. Boleamos y dejamos que doblen el volumen. Estiramos la masa y repartimos la ralladura de piel y el mango picado sobre la masa antes del plegado.

3
Formamos los panes en chuscos o barras sin puntas. Colocamos en las bandejas para la cocción. **Pintamos con leche y realizamos cortes menudos pero profundos en la superficie con ayuda de unas tijeras.**

4
Esperamos a que doblen el volumen y cocemos en el horno a 180°C durante 12-15 minutos. **Es importante que las piezas no lleguen excesivamente levadas.**

PANES del MUNDO

El yuzu tiene una apariencia a medio camino entre la mandarina y la lima. De color verde intenso, su piel es rugosa e irregular.

YUZU

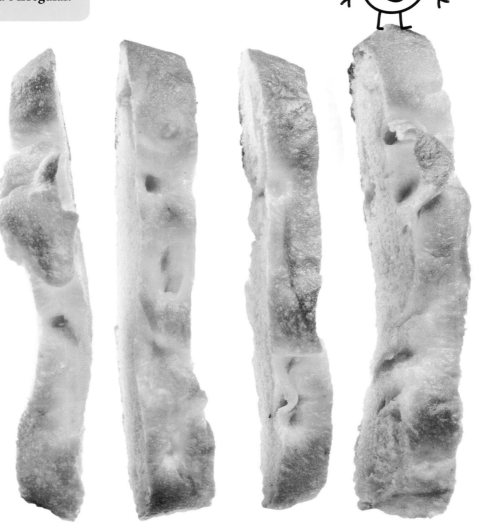

el Reto

¿Te atreves?

Este pan entronca con la tradición
clásica de pan castellano y andaluz,
con harina blanca y sabores
tradicionales.

#Reto2

PAN DE ROMERO.
ESTE RETO FUE UNO DE LOS PRIMEROS.
CON ÉL EMPEZAMOS A AÑADIR SABORES DISTINTOS
Y ORIGINALES A NUESTRA COMUNIDAD EN FACEBOOK.

Ingredientes

500 g de harina de fuerza
10 g de sal
100 g de aceite
250 g de agua
5 g de levadura
Romero fresco

Para la salmuera

5 g de pimentón de la Vera (dulce)
30 g de aceite
70 g de agua
2 g de sal

¿Preparado para el reto?

Podemos preparar una salmuera, mezclando bien los cuatro ingredientes, para aderezar la pieza recién salida del horno.

1 Mezclamos los ingredientes empezando por los secos (excepto el romero) y a continuación los líquidos. Realizamos el amasado básico mediante autólisis como se explica en la pág. 21. El segundo reposo será largo, de 3 h.

2 Partimos y boleamos porciones de 200 g. Reposamos las bolas durante dos horas a temperatura ambiente y estiramos la masa tipo pizza. La marcamos ligeramente con los dedos para crear hoyuelos.

3 Esparcimos romero (si es fresco, mejor) por encima y horneamos fuerte en el horno precalentado a 220 °C durante 10 minutos.

Una de MARIDAJE

Este pan de vino tinto es perfecto para hundirse en una rica salsa como la de este guiso de jabalí.

¿Con quién casamos este panecillo?

ESTOS PANES NACIERON PARA SER SABOREADOS BIEN ACOMPAÑADOS... **AQUÍ TE PROPONEMOS UNAS TIERNAS ALIANZAS.**

Pan de vino tinto ♥ **Queso brie y sobrasada**

Queso brie, sobrasada y miel. Mezclamos hasta convertir en crema y untamos en el pan.

Pan de cacahuete ♥ **Curry de pollo**

Perfecto para acompañar un curry de pollo cocinado al estilo thai o vietnamita.

Pan de romero ♥ **Membrillo**

Tostado y acompañado de una fina lámina de dulce de membrillo, o para mojar en el fondo de un buen plato de pasta con salsa de tomate.

Pan de mortadela ♥ **Burrata**

Puede acompañar con brillantez a la burrata, queso fresco italiano de corazón lácteo y casi líquido.

Nuestra filosofía *panarra* se basa en compartir panes y buena energía. *Love is in the bread* trata, sobre todo, de compartir.

Panes para compartir

Los panes en compañía –como la vida– saben mejor, tienen un plus. En esta sección, Daniel te ofrece unos panes, que por su originalidad, su formato o su historia, son ideales para disfrutar en grupo.

¡Sonrisas y pellizcos compartidos!

Capítulo 7
Pan para compartir

Durante siglos el trigo ha sido el alimento principal en las sociedades mediterráneas, de las que nos declaramos felices de pertenecer. El trigo en forma de pan era el alimento más consumido y símbolo de la misma alimentación.

Nos gustó cuando en una conferencia escuchamos al historiador Oriol Junqueras explicar que durante siglos «la gente común, la clase popular, comía cada día un pedazo de pan, que acompañaba con algo más de pan y si tenía suerte complementaba con pan». Es por eso que durante la mayor parte de la historia compartir el pan en realidad era simplemente compartirlo todo. Un acto de generosidad enorme e incomparable.

Afortunadamente, aunque en nuestra sociedad se siguen manteniendo detestables desigualdades, hemos superado las hambrunas generales y el compartir el pan ha perdido el significado inmediato. Aunque sigue manteniendo el simbolismo: en mesa comunitaria se parte el pan y te toca el trozo que te toca. Es feo andar escogiendo el pedazo más grande. Añadimos: ¿Es hermoso (y quizás un ligero ataque a la higiene debida) el hecho de que comunmente aceptamos el pan que partió nuestro acompañante con la mano? Da que pensar.

Existen panes que nacieron para ser compartidos. Por su tamaño, por sus ingredientes caros o por ser panes de fiesta comunitaria. Las toñas de Pascua no son más que el pan-de-toda-la-vida al que se añade azúcar y un huevo duro en lo alto para festejar la primavera. Es el renacer de la vida, que se note. Las cocas de Sant Joan empezaron también siendo panes caseros que se llevaban a cocer al horno del pueblo y a los que las familias añadían piñones y azúcar. Luego los panaderos profesionales conquistaron hábilmente el nicho de negocio sofisticando el pan con leche y otros elementos. Bien por ellos. Pero las cocas siguen siendo panes de alma comunitaria.

Uno de los panes para compartir que más nos gustan es un pequeño secreto gremial: los panaderos tradicionales cuecen un pan cuando se casan. Este pan se parte durante la boda y se reparte envuelto en celofán entre los invitados, para guardar. En casa Jordà hay un pan de boda del 1903. Qué bonita tradición.

LA POESÍA

¡Leamos un poco
antes de tocar la
harina!

"

*Beso que prepara su alegría
antes de zarpar… mientras
busco palabras torpes
o tartamudas. ¡Intento
recordar cómo sonaba tu
música al callar!*

Deja que suene:
"JE VEUX"
de ZAZ

El kétchup es una salsa tradicional que ha perdido el prestigio, aunque si es de calidad es un potente aderezo, complejo e interesante.

Hojaldre provenzal

EL HOJALDRE (CAPAS DE MASA SEPARADAS MEDIANTE UNA MATERIA GRASA) NO ES EXCLUSIVO DE LOS POSTRES. TAMBIÉN PODEMOS HACER DELICIOSOS PANES SALADOS CON ESTA TÉCNICA.

Ingredientes

500 g de harina
5 g de sal
5 g de levadura
250 g de tomate triturado natural (no frito)
100 g de kétchup
30 g de mantequilla

Ingredientes añadidos

200 g de tomates secos cortados
15 g de tomillo
200 g de panceta
200 g de mantequilla (para realizar el hojaldrado)

EL TRUCO:

Esta es una forma práctica y fácil de hojaldrar sin rodillo.

Y ¿cómo se prepara esto?

 1

Mezclamos los ingredientes base, amasamos brevemente y tras un plegado simple lo dejamos reposar 10 minutos tapado para que no se deshidrate. Realizamos un segundo plegado y volvemos a dejar reposar hasta que doble su volumen.

2

Estiramos la masa y la cortamos en 4 piezas iguales de unos 20 x 30 cm. **Cogemos la primera pieza y distribuimos sobre la misma una tercera parte de los ingredientes añadidos.** Ponemos encima otra pieza y volvemos a esparcir otro tercio de los ingredientes y repetimos hasta tapar con la última pieza.

3

Podemos volver a plegar y estirar una o dos veces más para aumentar el hojaldre (pintando con mantequilla la capa superior cada vez) o bien simplemente con un rodillo estiramos tan fino como podamos todo el conjunto y hacemos un pliegue simple.

 4

Cortamos piezas de 200 g haciendo barras. Reposamos hasta que doblen el volumen y horneamos a 180 ºC durante 20 minutos.

Recetas con mucho love

El centeno aporta mucho sabor a los panes, aunque al ser pobre en gluten se ha de complementar con harina de trigo si queremos panes esponjosos.

festival choco lemon

Pan de centeno, limón y chocolate

LOS SABORES COMPLEJOS DEL CENTENO INTEGRAL SON LA BASE IDEAL PARA EL COMPLEMENTO CÍTRICO Y REFRESCANTE DEL LIMÓN Y EL TOSTADO CÁLIDO DEL CHOCOLATE.

Ingredientes

350 g de harina
de fuerza

150 g de harina
de centeno integral

150 g de leche

100 g de agua

100 g de mantequilla

10 g de sal

25 g de azúcar

15 g de levadura

Aromas y sabores

La piel de un limón

200 g de chocolate
en gotas

EL TRUCO:

Antes de desmoldar,
hemos de dejar que
se enfríe bien la
pieza.

Y ¿cómo se prepara esto?

Mezclamos en un bol todos los ingredientes excepto el chocolate.

Amasamos suavemente y lo dejamos reposar 10 minutos. Estiramos la masa, esparcimos el chocolate, hacemos un plegado simple y dejamos reposar 10 minutos. Volvemos a plegar en el otro sentido y dejamos reposar 10 minutos más.

Formamos piezas de 400 g en forma de barras anchas y cortas, a medida del molde que tengamos, y las introducimos en él.

Cuando ha doblado el volumen procedemos a cocerlas en el horno a 210-220 ºC durante unos 15-20 minutos.

Cremona

ESTE PAN ES TANTO UN PAN FERMENTADO COMO UN HOJALDRADO. EN CIERTA MANERA ES UNA COMBINACIÓN PERFECTA Y DELICIOSA DE ESTAS DOS TÉCNICAS.

ARGENTINA

Aspecto de rosca y parecido a los panes típicos del sur de España.

Dónde lo conocí...

La primera vez que lo vi... venía el pan en las manos de Pablo Daniel Lanzilotta..., gran panadero argentino. Él nos lo trajo al obrador. Su aspecto de rosca y parecido a los panes típicos del sur de España nos despistó. Con solo cortarlo y olerlo, entendí como un pan así puede tener enamorado a todo un país como Argentina. ¿ Nos apuntamos?

Ingredientes para la masa

400 g de harina de media fuerza
100 g de harina integral
10 g de sal
300 g de agua
30 g de aceite
10 g de miel
5 g de levadura

Ingredientes para el interior

120 g de mantequilla
100 g de harina

 1

Amasamos todos los ingredientes para la masa y una vez que toda la harina está hidratada damos un pliegue de pañuelo (ver página 23) y dejamos reposar 10 minutos. Damos un segundo pliegue y dejamos reposar.

 2

Dejamos que la masa fermente, pero antes de que llegue a doblar su volumen la estiramos con un rodillo formando un rectángulo de aproximadamente 30 x 40 cm. Sobre el mismo extendemos una pasta hecha con la mantequilla y la harina. Damos un plegado simple (ver página 23).

3

Tras este pliegue enfriamos la masa en la nevera un mínimo de 30 minutos. Estiramos y repetimos la operación de plegado simple... ¡Estamos hojaldrando! Dejamos enfriar un poco, y si podemos repetimos otra vez la operación.

 4

Tras estos 2-3 plegados estiramos la masa y la cortamos en tiras de 10 cm que doblamos por la mitad en el sentido longitudinal. Hacemos incisiones con un cuchillito en el borde opuesto al pliegue. Dejamos fermentar otra vez sin que llegue a doblar el volumen y horneamos a 210 °C durante 12-15 minutos.

PANES del MUNDO

La preparación admite ahorrarse el hojaldrado. También es rico, aunque el resultado es menos ligero.

Capítulo 8
La creatividad en el pan

Llamar Panes Creativos a un proyecto de vida es una declaración de intenciones. Y aun con ese nombre –a calzón quitao, desde el bautizo– son muchas las charlas acumuladas sobre el mármol del bar vecino al obrador, debatiendo el significado de la creatividad en los asuntos del pan; cuáles son los límites, si es que los hay; cómo se combina la parte empresarial con la artística (hay que llevar un jornal a casa) y cuál es el sentido último de caminar por el lado inconformista de la vida *panarra*.

Las conclusiones inapelables nos dan repelús, somos más de dudas que de certezas. Aun así tenemos criterios: cada intento por encontrar un pan nuevo ha de ser el resultado de una reflexión. Solo desde la coherencia con lo aprendido previamente tiene sentido la evolución creativa. No nos gusta la imagen de monos tecleando al azar la máquina de escribir, esperando escribir una buena novela por casualidad. Utilizamos el conocimiento acumulado para buscar la sorpresa final. La creatividad es un proceso, no una chispa puntual.

No importa si peinamos canas de harina o somos panaderos noveles, tener esta actitud currante y combinar la valentía con el análisis nos ha servido. Pensamos que también puede ser útil para otros.

Escoger siempre caminos razonables, huir de la excentricidad impostada y nunca dejar de profundizar en la comprensión de lo que sucede cuando panificamos –cuando comprendemos qué pasa al hidratar la masa o al añadir un elemento graso es mucho más probable que nuestros ensayos vayan bien encaminados–. El conocimiento es poder creativo.

Un buen inicio puede ser jugar con combinaciones de cereales en nuestras masas (espelta, lino, centeno, kamut…) y luego atreverse a añadir en ellas un sabor señero y original. Más tarde llegarán las combinaciones. Disfrutar con el camino. Los fallos son inevitables y de ellos se aprende muchísimo.

Y a pesar de todo lo escrito queremos dejar bien claro que la creatividad es tan solo una opción. Obligatoria para quienes la sentimos, pero en ningún caso imprescindible para ser un buen panadero. En el fondo el pan es solo pan, ni más ni menos. Y eso es todo, que no es poco.

LA POESÍA

¡Leamos un poco antes de tocar la harina!

Beso que viene con sus dolores, pérdidas y reveses… ¡Aunque ausentes…con tus besos ardemos al contacto con las formas y los colores de este mundo!

Deja que suene:

"BREAKFAST IN AMERICA"
de SUPERTRAMP

El término *galette* también se utiliza para designar una especie de crepes típicos de la Bretaña.

Galette de higos y queso de cabra

ESTA TARTA ES FÁCIL DE HACER, SABROSA Y MUY CRUJIENTE. ADMITE MUCHOS RELLENOS, AUNQUE LO HABITUAL ES QUE HAYA FRUTA ABUNDANTE EN ELLOS.

Ingredientes para la masa

250 g de harina

250 g de harina de espelta integral

150 g de agua

100 ml de aceite oliva

5 g de sal

5 g de canela

Ingredientes para el relleno

3 cucharadas de azúcar integral

3 cucharadas de mermelada de arándanos

3 higos o medios melocotones

Fruta para decorar al final

100 g de queso de cabra

Y ¿cómo se prepara esto?

Mezclamos todos los ingredientes para la masa, primero los secos y a continuación los húmedos, hasta formar un conjunto homogéneo. Realizamos el amasado básico mediante autólisis como se explica en la página 21.

Estiramos la masa en forma circular formando una plancha. **Extendemos la mermelada en el centro dejando un par de dedos de margen en el borde,** y encima la fruta, cortada en trozos gruesos para encontrarlos al final, y también el queso cortado y bien repartido.

Espolvoreamos con azúcar moreno por encima y **plegamos el borde hacia adentro para formar una cavidad que sostenga bien el relleno.**

Horneamos a 180 °C durante 15 minutos. **Acabamos decorando con alguna pieza de fruta fresca que hayamos reservado cortada en trozos grandes.**

Si no encontramos suero de mantequilla (o *buttermilk*) se puede sustituir por una mezcla de leche, yogur y un poquito de limón.

Pan integral de zanahoria, nueces y orégano

LOS PANES CON ESPELTA SUELEN SER TUPIDOS. LA PRESENCIA DE LA MIEL AYUDA A QUE EL RESULTADO FINAL SEA HÚMEDO Y COMPACTO.

Ingredientes

350 g de harina de espelta integral

50 g de harina integral de trigo

100 g de harina de fuerza

10 g de sal

250 g de suero de mantequilla (o *buttermilk*)

100 g de agua

10 g de miel de caña

10-15 g de levadura

Ingredientes añadidos

150 g de nueces

200 g de zanahoria rallada

5 g de tomillo

Y ¿cómo se prepara esto?

 1

Mezclamos todos los ingredientes del primer grupo empezando por los secos. Tras un breve amasado realizamos el pliegue del pañuelo (ver página 23) y dejamos reposar 10 minutos. Volvemos a realizar un leve amasado, plegado del pañuelo y dejamos reposar 10 minutos más.

 2

Estiramos bien la masa, repartimos sobre la misma los ingredientes añadidos, y con la ayuda de pequeños pliegues los incorporamos a la masa. **Es una operación que requiere paciencia y cariño, intentando no romper la masa.** Damos un plegado final del pañuelo y dejamos reposar hasta que doble el volumen.

 3

Cortamos en piezas de 300 g y boleamos. Dejamos reposar 10 minutos y hacemos un agujero en el centro de cada pieza para dar forma de rosca.

 4

Ponemos las roscas sobre la lata o bandeja de horno. Cortamos unas pequeñas incisiones o rayas en la parte superior de la pieza con unas tijeras o cuchilla y dejamos reposar hasta que doble el volumen. Horneamos a 200° C durante 20 minutos aproximadamente.

Trampantojo: pan de sandía

TRAMPANTOJO PROVIENE DEL FRANCÉS *TROMPE-L'OEIL*, LITERALMENTE 'ENGAÑA EL OJO'. ES UNA TRAMPA O ILUSIÓN Y EN ESTE CASO, ¡EL EFECTO ES ESPECTACULAR!

Dónde lo conocí...

Una locura, un trampantojo en toda regla. Lo habíamos visto en los foros de Internet de otros países pero en otro tipo de formato, y nos fuimos al lado más naturalista en la piel y en su textura interior. **Hemos tenido que inventar un país para poder meterlo en el libro: ¡el país de la creatividad!**

Ingredientes

500 g de harina de fuerza
30 g de azúcar
10 g de sal
100 g de huevo
100 g de mantequilla

250 g de agua
20 g de levadura
100 g de gotas
de chocolate negro
Colorante alimentario
verde y rojo

 1

Mezclamos todos los ingredientes excepto los colorantes y el chocolate, siempre empezando por los secos. Realizamos el amasado básico mediante autólisis como se explica en la página 21.

 2

Dividimos la masa en tres partes. **Una pieza de 600 g y otras 2 piezas de 200 g. Teñimos la pieza grande añadiendo colorante rojo y amasando. Tras teñir, añadimos las gotas de chocolate negro.**

 3

Teñimos una de las dos piezas menores con el colorante verde. **Dividimos la masa roja en piezas de 150 g que serán los interiores de las sandías.** Dividimos la masa blanca y la verde en piezas de 50 g. Boleamos las piezas y dejamos que doblen su volumen.

 4

Estiramos la pieza de masa blanca con un rodillo, formando planchas redondas en las que envolvemos la pieza roja utilizando la técnica del pañuelo. Estiramos también la masa verde y envolvemos las anteriores, dejando el cierre hacia abajo en la base. Reposamos hasta doblar el volumen y horneamos a 180 ºC durante 15 minutos.

PANES del MUNDO

Puedes probar a sustituir el chocolate por pasas hidratadas sin pepitas.

Capítulo 9
Italia y el Mediterráneo

La separación entre gastronomías hermanas depende a veces del zoom con que uno aplica la mirada.

Con la cocina italiana nos unen tantas cosas que creemos que podríamos recorrer la costa italiana y francesa hasta nuestras playas, saltando de comarca en comarca sin apenas diferencias culinarias. Cambiando solo un poquito a cada paso. Un gradiente gastronómico que indica que esta parte del Mediterráneo tiene más de tronco común que de ramaje independiente.

Y aun así las particularidades son fundamentales para enriquecer el conjunto, claro.

Se nos ilumina la mirada cuando preparamos *focaccia*, cosa que casualmente sucede todos los días. La *focaccia* es un pan muy hidratado de miga blanda y corteza fina. Viene con el vapor incorporado gracias a la utilización de salmuera (mezcla de aceite, agua y sal que se reparte sobre el pan justo antes del horneado). También utilizamos a menudo aceitunas, tomate deshidratado, pistachos, pesto rojo y verde, e incluso mozzarella y ricotta. Estos quesos hidratan la masa y suelen deshacerse rellenando oquedades, creando espacios especialmente golosos. La cocción del pan no se ve afectada, aunque hay que ser cuidadoso porque si el queso queda en la superficie se gratinará y afectará al color. Incluso puede llegar a quemarse y dar sabores amargos y desagradables. En este caso, es mejor bajar la temperatura y prolongar algo la cocción.

En el obrador tuvimos la suerte de contar durante un tiempo con Ezio Marinato, tan campeón del mundo en pizzas y panes como en simpatía. Nos abrió la puerta al universo pizza y a la libertad de experimentar con los *toppings* –en el reto siguiente, te proponemos una receta básica de masa para una buena pizza casera–. Y nos introdujo en la elaboración más compleja a la que jamás nos hemos enfrentado: el *panettone*. Un prodigio de pan dulce que nada tiene que ver con el producto industrializado que encontramos en el supermercado. En el proceso de elaboración tradicional se invierten entre 36 y 48 horas, tremendo. Italia es una tierra donde la tradición tiene mucho más peso que en nuestro entorno. En eso nos ganan, y es una pena.

LA POESÍA

¡Leamos un poco antes de tocar la harina!

Beso que se queda plantado y hundido… hay días en que parece que el ayer haya desaparecido… es importante reconocer lo que queda entonces, el color de las montañas, el jabón que mejor limpia del maldito mercado… Y tus ojos, donde siempre me pierdo.

Deja que suene:
"AND SHE WAS"
de TALKIN HEADS

Para abrir la pita, corta un trozo e introduce una cuchara en ella. Gira la cuchara para ensanchar y crear la forma de 'bolsillo'.

Minipitas para rellenar

LA PITA ES UN PAN PLANO, DE TEXTURA BLANDA Y CON MUY POCA CANTIDAD DE LEVADURA. POR SU FORMA DE INFLARSE, PERMITE SER RELLENADO CON COMODIDAD.

Ingredientes

400 g de harina de trigo
100 g de harina de trigo integral
10 g de sal
30 g de aceite
5 g de levadura
300 g de agua
5 g de miel

Y ¿cómo se prepara esto?

 1

Mezclamos y amasamos todos los ingredientes empezando por los secos. Tras un suave amasado y plegado de pañuelo (ver página 23) dejamos reposar 10 minutos y repetimos operación de amasado suave, plegado y reposo.

 2

Cortamos en piezas de 60 g. Las boleamos y dejamos reposar un mínimo de 30 minutos hasta 2-4 h en la nevera. **Siempre tapamos las piezas para que no se deshidraten o creen 'piel'.**

 3

Con la ayuda de un rodillo las estiramos hasta que tengan un grosor de 2-3 mm. Nos podemos ayudar tirando un poco de harina encima de la mesa de trabajo y estirando la masa poco a poco hacia los lados alternativamente y con suavidad. Tras este paso las pitas están preparadas para ir al horno.

 4

Precalentamos el horno a 230 °C con la bandeja dentro para que también esté muy caliente. Colocamos las pitas en la bandeja (la harina superficial que lleven de la mesa sirve para que no se peguen). Cocemos a 230 °C durante 2-3 minutos por una cara, hasta que la pita se haya inflado como un globo y la giramos para cocer el otro lado durante 1-2 minutos más.

Recetas con mucho l♥ve

Las bayas de goji que antes solo crecían silvestres en el Himalaya, en la actualidad proceden casi todas de cultivos del norte de China e incluso de Gran Bretaña.

Pan de bayas de goji y queso feta

EL SABOR DE ESTAS SEMILLAS, A MEDIO CAMINO ENTRE LA PASA Y LA CEREZA, **COMBINA MUY BIEN CON UN QUESO ÁCIDO Y POTENTE COMO EL FETA.**

EL TRUCO:

Utilizamos moldes de panetone pequeños o bien de cupcakes: es una manera de introducir ingredientes gastronómicos en los panes sin sufrir por el amasado. Las pequeñas piezas luego siempre quedan bien y adornan la mesa.

Ingredientes para la masa

500 g de harina de fuerza

200 g de agua

100 g de huevo

40 g de mantequilla

20 g de azúcar

25 g de leche en polvo

10 g de sal

10 g de levadura

Ingredientes para el relleno

100 g de bayas de goji

150 g de queso tipo feta (o bien cabra o manchego)

Mermelada de fresas o frutos rojos

Y ¿cómo se prepara esto?

Mezclamos todos los ingredientes para la masa empezando por los secos. Tras un breve amasado damos un pliegue de pañuelo (página 23) y dejamos reposar 10 minutos. Realizamos un segundo amasado suave, plegado de pañuelo y reposo de 10 minutos.

Cortamos piezas de 45 g y las boleamos. Dejamos reposar hasta que doblen el volumen.

Con la ayuda de un rodillo, estiramos las bolas hasta que tengan un grosor de 2 mm dándoles una forma ovalada o elíptica. Esparcimos un poco de mermelada sobre la masa, dejando libre un centímetro en el borde. Sobre la mermelada repartimos el queso y las bayas.

Estiramos desde uno de los extremos y enrollamos la pieza empezando por uno de los lados cortos, para que haya el mayor número de vueltas posible. **Cortamos los extremos para que se vea el dibujo enrollado y lo introducimos en el molde de forma que el enrollado quede a la vista.** Dejamos que doble el volumen o bien llegue hasta el borde del molde y horneamos a 200 °C durante 10-12 minutos.

Pan de pepino, cebolleta y queso feta

AÑADIR VERDURAS INCREMENTA LA HIDRATACIÓN DE LA MASA, QUE SUELE AYUDAR A UN MEJOR RESULTADO FINAL.

Dónde lo conocí...

Sin duda este pan ganador nace de mi amor por el arte clásico pero actual y de descubrir cómo añadir verduras a una masa de pan. Aunque puede parecer una empanadilla, el pepino y la cebolleta añadidos a la masa confieren una humedad a la masa que lo hace espectacular.

Ingredientes para la masa

350 g de harina integral
150 g de harina floja de trigo
300 g de agua
80 g de aceite
10 g de miel de caña
10 g de sal

Ingredientes para el relleno

80 g de pepino
100 g de cebolleta
100 g de queso feta

FETA

1

Mezclamos los ingredientes del primer grupo empezando por los secos. Tras un suave amasado le damos un plegado de pañuelo (pág. 23) y dejamos reposar 10 minutos. Repetimos la operación.

Estiramos la masa y repartimos pepino y cebolleta muy picados (75 g de cada). Realizamos un plegado simple (pág. 23) y dejamos reposar 10 min. Estiramos de nuevo la masa y realizamos un plegado simple en el otro sentido y dejamos reposar 10 minutos más. Cortamos piezas de 50 g y boleamos. **Las ponemos en una bandeja sin que se toquen y las tapamos con papel film.**

Las guardamos unas 8 h en la nevera o bien las dejamos reposar fuera 2 h (si no hace mucho calor). Estiramos con un rodillo 2 piezas del mismo grosor, esparcimos sobre una de ellas el resto de pepino y cebolleta, y queso feta con generosidad –¡que se note que es para nuestros seres queridos!– dejando 1 cm libre en los bordes para poder cerrar la pieza.

4

Pintamos con agua la pieza sin relleno y la colocamos encima de la anterior, presionando con un tenedor los bordes de las dos piezas para que se unan. **Pintamos con huevo o leche y decoramos con rodajas muy finas de pepino.** Horneamos a 220 °C durante 12-15 minutos.

PANES del MUNDO

El feta es un queso curado en salmuera que aporta salinidad y acidez sin añadir mucha grasa a nuestro pan.

el Reto

¿Te atreves?

Los italianos acostumbran a utilizar la harina integral en sus masas de pizza. Es uno de los secretos para que queden tan bien.

#Reto3

PAN DE PIZZA.
ESTE RETO FUE UNO DE LOS PRIMEROS QUE PROPUSIMOS A LA COMUNIDAD DE FACEBOOK. ES SENCILLO Y A LA VEZ DA MUY BUEN RESULTADO.

Ingredientes

200 g de harina integral (T-150)
300 g de harina blanca floja
10 g de sal
50 g de aceite
5-8 g de levadura
350 g de agua

¿Preparado para el reto?

Una buena opción es introducir la pizza sobre un papel de hornear directamente sobre el fondo del horno para que le transfiera el máximo de calor. Lo ideal es tener una piedra de horno, claro.

1 Mezclamos los ingredientes: primero los secos y a continuación los líquidos. Realizamos el amasado básico mediante autólisis como se explica en la página 21.

2 Partimos y boleamos porciones de 200 g. Reposamos las bolas durante tres horas a temperatura ambiente (o bien toda la noche en la nevera).

3 Estiramos la masa para la pizza y disponemos encima los elementos para darle el sabor. Horneamos en horno precalentado a 220ºC durante unos diez minutos.

Una de
MARIDAJE

Este pan
de pita es perfecto
para 'dipearlo' con un
hummus casero.

¿Con quién casamos este panecillo?

UNOS PANES QUE ERAN TAN SOCIABLES QUE NO PODÍAN DEGUSTARSE SOLOS... AQUÍ TE PROPONEMOS ALGUNAS IDEAS QUE NO PASARÁN DESAPERCIBIDAS.

Hojaldre provenzal Romesco y chalotas

Hummus con romesco y un poquito de chalotas picadas muy menudas.

Pan de bayas de goji Batido smoothie

Un buen batido tipo smoothie y ligeramente ácido, hecho con frutos rojos, yogur griego y un poco de sirope de agave es un complemento perfecto.

Pan de sandía Tomate

Esta sandía combina de fábula con el tomate. Haz un bocadillo con pétalos de tomate, hojas tiernas de espinaca y un poco de queso en crema.

Cremona Nata montada

A modo de tortel, rellena con nata montada, trufa pastelera o una mousse casera de café.

No sé si llamarlo *brinner* o merienda-cena, pero lo que sí sé es que quiero que haya un buen pan.

Brinner, brunch y otras palabrejas

La vida moderna asigna nombres nuevos a unos conceptos que quizá no lo sean tanto pero que siguen siendo momentos divertidos y tragones.

En esta sección, proponemos panes para los que se levantan tarde, o para las fiestas de tarde que se alargan hasta la cena y otras moderneces viejunas.

Capítulo 10
Brunch, brinner...

Mezclar la moda y sus servidumbres con el universo panarra nos produce repelús. Nada nos resulta más triste que imaginar que el interés por el buen pan que suertudamente nos azota se deba a lo que los modernos llaman tendencia, los anticuados moda y los sabios 'tal como vino se fue'. Decidimos poner *brinner y brunch* en el título tras debatirlo toda una tarde sentados en la mesa de un bar aledaño al obrador. Teniendo los desayunos de cuchara y la merienda-cena..., ¿para qué necesitamos sustituirlo por los anglicismos que han tomado al asalto el cielo matinal de nuestros domingos?

Lo cierto es que un *brunch* no es exactamente un desayuno de cuchara, y aunque un *brinner* sí que se parece más a nuestra merienda-cena tradicional tampoco son sinónimos perfectos. En los desayunos de cuchara el pan es en buena medida un elemento de apoyo, esponja ideal para mojar salsa y viajarla hasta la boca. En los *brunch* el pan es más protagonista. Es muy habitual utilizar bollos y panes enriquecidos para preparar buen número de pequeños bocados y bocadillos. Como mínimo nos queda el íntimo consuelo de que ningún yanqui ha decidido hasta hoy que zamparse el último bocado antes de encamarse por la noche merece bautismo conceptual. El día que nos quieran mangonear el concepto de resopón nos echaremos al monte.

Los panes para *brunch* han de estar pensados para ser abiertos en canal y rellenarles las entrañas. Sin manías y con creatividad glotona. En un *brunch* podemos crear un pequeño menú de combinaciones: empezar con algo salado y terminar con toques dulces como los bollos con mango y yogur. Arriesguémonos aprovechando que se trata de pequeñas porciones. ¿Qué opinas, estimado lector, de la propuesta de pan de anchoas y remolacha? ¿No te suena suficientemente audaz?

Conviene aprovechar estas comidas informales para buscar afinidades, jugar un poco y panificar la diversión. Los *brunch* y los *brinner* han de ser pequeñas fiestas masticables.

LA POESÍA

¡Leamos un poco antes de tocar la harina!

Beso que deambula alrededor de mí…, viene vestido de palabras… Pero son tus silencios los que me curan, cuando pasan a mi lado.

Deja que suene:

"BREAD AND BUTTER"
de THE NEWBEATS

La *focaccia* es esponjosa y suave. Los romanos las cocían sobre laurel, así que también podemos probar a aromatizarlas con esta planta.

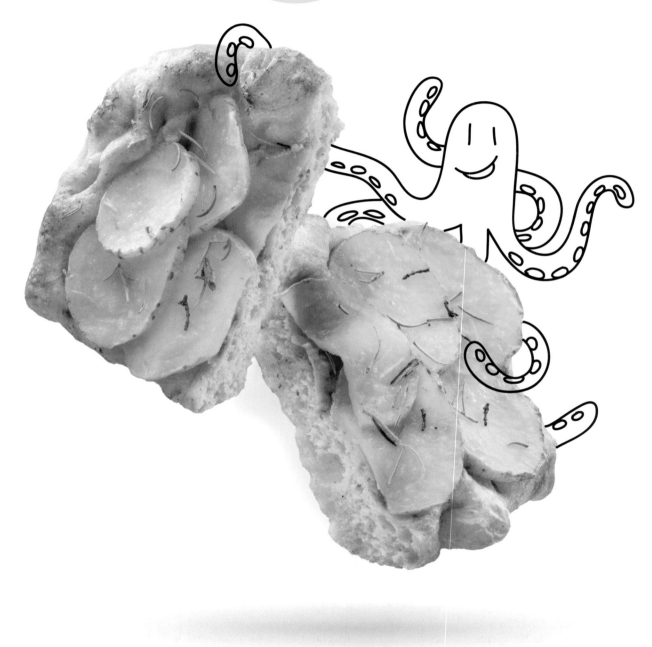

Focaccia de patata, pimentón de la Vera y pulpo

FOCACCIA EN ITALIANO SIGNIFICA 'HOGAZA', Y SE TRATA DE UN PAN AROMATIZADO QUE SE REMONTA EN EL TIEMPO HASTA LA CIVILIZACIÓN ETRUSCA.

Ingredientes para la masa

400 g de harina de fuerza
80 g de sémola de trigo duro
20 g de patata en copos
10 g de sal
40 g de mantequilla
40 g de aceite
300 g de agua
10 g de levadura

Ingredientes para el relleno

2 patatas medianas
Pimentón de la Vera
Aceite
Sal
Romero fresco
Pulpo cocido (para acompañar)

Y ¿cómo se prepara esto?

 Mezclamos todos los ingredientes para la masa empezando por los secos. Tras el mezclado plegamos una vez la masa y dejamos reposar 10 minutos. Tras este reposo damos un segundo plegado o amasado corto y dejamos reposar de nuevo. **Dividimos en piezas de 200 g, que estiramos formando rectángulos.**

 Les damos un plegado sencillo y las ponemos en un molde desechable rectangular (tipo canelones). **Tras cinco minutos esparcimos aceite por encima y clavamos los dedos suavemente para formar hoyuelos y hacer que la masa toque todas las paredes del molde. Si la masa es tenaz y recupera hacia el centro damos más reposo.**

 Dejamos que doble el volumen. Preparamos una salmuera (1 parte de aceite, 3 partes de agua y una pizca de sal) con la que regamos la *focaccia*. Volvemos a clavar los dedos con suavidad para no desgasificar.

 Sobre la salmuera ponemos pimentón de la Vera y un poco de romero. Disponemos patata cortada muy fina sobre la focaccia y regamos ligeramente con salmuera. Cocemos a 230 ºC durante 12 minutos. A media cocción incorporamos el pulpo cortado en rodajas sobre la *focaccia*, y terminamos.

El azúcar moscabado
es un azúcar de caña
integral, no refinado.
Su alto contenido
en melaza le da un
sabor particular.

Pan de buttermilk

ESTE TIPO DE PANES CON *BUTTERMILK* NOS LO DESCUBRIÓ JOSEP PASCUAL EN UNO DE SUS CURSOS. NUNCA LE PODREMOS AGRADECER EL MUNDO DE POSIBILIDADES QUE NOS ABRIÓ. ¡VA POR USTED, MAESTRO!

Ingredientes

400 g de harina de fuerza

100 g de harina de espelta integral

300 g de *buttermilk* o suero de mantequilla

50 g de azúcar moscabado

10 g de sal

50 g de aceite de oliva

15 g de patata en copos

10 g de levadura

EL TRUCO:

Pincela los panecillos con un poco de agua si quieres añadir semillas.

Y ¿cómo se prepara esto?

 Mezclamos todos los ingredientes, empezando por los secos y tras un sencillo amasado realizamos un pliegue de pañuelo (ver página 23) y dejamos reposar durante 10 minutos. Repetimos la operación y tras el segundo plegado dejamos reposar la masa hasta que doble su volumen.

 Cortamos en piezas de 50 g, que boleamos y **dejamos otra vez reposar bien protegidas con trapos húmedos o similar para que no se deshidraten y les salga 'piel'.**

 Volvemos a bolear y dejamos preparados los panes para la cocción en una bandeja o lata de horno.

❹ **Tras este último levado en que vuelven a doblar el volumen, los pintamos con leche y realizamos en su parte superior algún corte con tijera o cuchilla. Horneamos a 210 ºC durante 10 minutos.**

Pan de mojito

NUNCA RENUNCIAMOS A LA FIESTA Y A LA DIVERSIÓN. ¿PANIFICAR UN CÓCTEL? ¡SÍ SE PUEDE!

Foto: Possohh / Shutterstock.com

Dónde lo conocí...

No creo que esté inventado pero esperamos que Cuba lo adopte muy pronto. **Un pan cítrico, fresco, con notas de menta y selva..., ¡no podemos pedir nada más!**

Ingredientes

500 g de harina de fuerza
50 g de azúcar moreno
10 g de sal
75 g de mantequilla
20 g de levadura
100 ml de ron
100 ml de agua

125 g de yogur de limón
50 g de zumo de naranja
La piel de 2 limones
5-6 hojas de menta o hierbabuena picada
Colorante alimentario verde o amarillo (opcional)

CUBA

Paraíso de tomarse las cosas con calma, como esta receta.

❶
Mezclamos todos los ingredientes, excepto los colorantes, si se quieren utilizar, la piel de los cítricos y la menta o hierbabuena. Tras un primer amasado suave y plegado, dejamos reposar.

❷
Realizamos otro plegado y en este momento añadimos el colorante (opcional, es para dar un tono verdoso) y amasamos para homogeneizar la masa. Añadimos la piel rallada de los limones, las hojas de menta finamente picadas y amasamos.

❸
Dejamos que doble el volumen y cortamos en piezas de 30-40 g. **Buscamos moldes tipo vasito o flanera en que podamos cocer los panes. El tamaño del molde ha de caber en el vaso final de mojito si queremos presentar los panes de manera divertida.**

❹
Formamos bolas que introducimos en los moldes o flaneras y dejamos reposar hasta que doblen el volumen. Cocemos en horno a 200 °C durante 10-12 minutos. Presentamos en un vaso con pajita y menta.

PANES del MUNDO

Este pan es apto para niños: durante la cocción el alcohol se evapora completamente.

Capítulo 11
Cómo catar un pan

La aproximación con espíritu analítico a un pan puede resultar muy interesante y enriquecedora. Los profesionales la efectúan constantemente y para los aficionados al pan puede ser también una herramienta útil para profundizar en el conocimiento *panarra*. A continuación os recomendamos algunos parámetros con los que valorar/catar un pan.

Fase visual: Forma y tamaño (ligado a la duración esperada). Color de la corteza (una corteza brillante indica un pan correctamente evaporado) y nivel de tostado. El craquelamiento puede sugerir un levado excesivo. El grosor: mayor acidez o fermentación larga generan cortezas gruesas. El color de la miga depende mucho del tipo de harina; el tamaño de los alveolos depende de la fuerza del gluten y el tipo de harina. A mayor regularidad de los mismos, mayor éxito en el procedimiento de elaboración. También cambian según el nivel de hidratación. La parte inferior del pan es chivata y suele mostrar el tipo de horno empleado.

Fase aromática: Particularmente a nosotros no nos gustan los aromas muy ácidos, suelen surgir al tener una masa 'envejecida'. Aunque hay quien los busca y no hay nada que discutir sobre ello, son gustos.

Obviamente el olor tostado y caramelizado aparece con la cocción y ayuda a formarnos una idea de los sabores que encontraremos al morder. A veces se aprecian olores lácticos, dulces, frutos secos... Vale la pena darle al olfato y luego comprobar si también los encontramos en el paladar.

Fase táctil: Apretar el pan ligeramente y oír cómo cruje es un clásico. Imprescindible. Apreciar si es elástico y tenaz (recupera su forma) o si es compacto (suele ser pan poco hidratado) e incluso seco. Además, un golpe en el culo da pistas sobre su cocción: el pan bien cocido suena hueco, por así decirlo.

Fase gustativa: Cada cereal tiene un sabor particular, podemos aprender a diferenciarlos. Un punto importante es el nivel de sal y también si hay matices dulces. Observamos en un pan húmedo, la textura y resistencia de los alveolos. Si es fundente puede indicar presencia de grasas. En la boca es donde concluimos si un pan nos gusta o no, ahí podemos acabar de certificar si nuestras suposiciones previas de vista, olfato y tacto fueron acertadas. Un bonito juego, ¿no?

LA POESÍA

¡Leamos un poco antes de tocar la harina!

> *Beso que prepara su alegría antes de zarpar... mientras busco palabras torpes o tartamudas... Intento recordar cómo sonaba tu música al callar.*

Deja que suene:
"HAPPY"
de PHARRELL WILLIAMS

panes con chicha

Utilizar simultáneamente versiones de un mismo ingrediente ayuda a añadir matices y complejidad al resultado final. ¡Pruébalo en tus panes!

Pan de 3 mostazas

LA MOSTAZA APARECE NOMBRADA EN LA BÍBLIA Y A NOSOTROS NOS LLEGÓ A TRAVÉS DE LOS ROMANOS.
SU SABOR INTENSO ES IDEAL PARA DAR POTENCIA AL PAN.

Ingredientes para la masa

400 g de harina de fuerza

100 g de harina integral de trigo

25 g de azúcar moreno

50 g de mantequilla

300 g de agua

75 g de leche

15 g de levadura

Ingredientes para el relleno

30 g de semillas de mostaza blanca

Mostaza de Dijon o mostaza a la antigua

Mostaza en polvo

Y ¿cómo se prepara esto?

 1

Mezclamos todos los ingredientes para la masa empezando por los secos y acabando con los líquidos. Amasamos ligeramente y tras el plegado del pañuelo (ver página 23) dejamos reposar la masa durante 10 minutos.

 2

Damos otra tanda de ligero amasado y plegado, momento en que aprovechamos para agregar la mostaza blanca. Dejamos reposar otra vez y cortamos piezas de 150 g que boleamos y dejamos reposar hasta que doblen su volumen.

 3

Estiramos las piezas con la ayuda de un rodillo, formando una pieza ovalada o elíptica sobre la que extendemos la mostaza de Dijon y la mostaza en polvo. Si nos gusta subidito de *rock'n'roll*, añadimos más de la última. **Enrollamos la pieza sobre su lado más largo formando un gran chusco o barrote.**

 4

Ponemos la pieza con el cierre de la masa hacia abajo sobre la bandeja de horno. Dejamos que doble su volumen y la pintamos con leche. Realizamos unos cortes en la parte superior con una tijera o cuchilla. Horneamos a 200 ºC durante 12-15 minutos.

Recetas con mucho l♡ve

Presentado así o en forma de trenza, este pan es ideal para pellizcar con la familia una mañana de domingo.

Pan de leche o bollo tierno

INCORPORAR LECHE AL PAN HACE QUE SU MIGA SEA MÁS SUAVE Y TIERNA. LA CORTEZA TAMBIÉN SE TUESTA MENOS Y RESULTA MENOS CRUJIENTE.

Ingredientes

350 g de harina de trigo
150 g de harina de trigo de fuerza
300 g de leche
100 g de mantequilla
30 g de azúcar
10 g de sal
10 g de levadura

Y ¿cómo se prepara esto?

Mezclamos todos los ingredientes empezando por los secos y añadiendo luego los líquidos. Tras un leve amasado damos un pliegue de pañuelo (ver página 23) y dejamos reposar 10 minutos. Repetimos el proceso una segunda vez.

Dejamos reposar aproximadamente unas dos horas, o bien hasta que doble el volumen, solo interrumpidas tras la primera de ellas para dar un plegado sencillo a la masa.

Tras la segunda hora, o cuando haya doblado su volumen, dividimos la masa en piezas de 200 g. Formamos barras largas de unos 30 cm que dejamos reposar durante 10-15 minutos.

Cortamos longitudinalmente la barra en 3 piezas iguales pero sin llegar a seccionarla del todo por uno de los lados. Trenzamos las tres piezas y disponemos la trenza en una lata o bandeja de horno. **Las pintamos con huevo o leche y dejamos reposar tapadas hasta que doblen el volumen.** Pueden tardar, aunque nunca tanto como en el primer fermentado largo. Horneamos a 180 °C durante 15 minutos.

Frankfurt roll

ESTE PAN PREÑADO SUELE COSECHAR UN GRAN ÉXITO ENTRE EL PÚBLICO MÁS MENUDO. ESO SÍ, CONVIENE ASEGURARSE DE QUE EL EMBUTIDO EMPLEADO SEA DE BUENA CALIDAD.

Foto: Karnizz / Shutterstock.com

Dónde lo conocí...

Un clásico en los mercados callejeros de las ciudades alemanas y un matahambres en cualquier momento. Este pan alemán quiere unir básicos de la cultura gastronómica de ese país: pan y salchichas...Una receta que hará las delicias de los más jóvenes.

Ingredientes

400 g de harina de fuerza
100 g de harina blanca de espelta
300 g de leche
50 g de yogur natural

20 g de sirope o miel de caña
25 g de mantequilla
10 g de levadura
Salchicha tipo Frankfurt de calidad

Mezclamos todos los ingredientes empezando primero por los secos (excepto las salchichas, claro). Tras un breve amasado damos un plegado a la masa (ver página 23) y dejamos reposar durante 10 minutos. Repetimos el plegado y reposo una segunda vez.

Cortamos piezas de 75 g, las boleamos y dejamos que doblen su volumen.

Estiramos las piezas con la ayuda de un rodillo hasta dejarlas a un grosor de 2-3 mm y con una forma ligeramente ovalada o elíptica. Ponemos la salchicha en uno de los extremos cortos y enrollamos la masa a su alrededor.

Cuando enrollamos, podemos hacer cortes longitudinales en el tramo final para que al cocer quede una presentación más bonita. Pintamos las piezas con huevo batido y las colocamos en latas o bandejas de horno. Dejamos reposar hasta que casi doblen su volumen. Horneamos a 200 ºC durante 10-12 minutos.

PANES del MUNDO

Incorporar una pincelada de curry nos recordará las fantásticas *currywurst* de Berlín.

Capítulo 12

Aprovechamiento del pan

No se nos ocurre mejor manera de terminar estas páginas que reivindicar ideas para revivir panes que se nos han muerto y padecen los pobres el *rigor mortis* de la sequedad. Incluso para ellos existe el camino del goce. No en vano existen zonas –por ejemplo determinadas áreas de nuestra amada Galicia– donde el pan viejo se utiliza para crear fermento base, una especie de masa madre tosca que termina alumbrando nuevos panes. Tirar el pan viejo es un tic de nuevo rico, en nuestros tiempos una actitud triste y tan evitable como habitual. Quien esté libre de culpa, que tire el primer currusco.

Con el pan viejo se puede hacer una sopa de ajo espectacular. Plato revitalizante que ha alimentado durante siglos a un populacho que necesitaba alargar las viandas como fuera. Conviene recordar que durante siglos este ha sido un país de pasar hambre. Para las sopas simplemente necesitamos una base sápida potente –habitualmente unas buenas láminas de ajo doradas en aceite y un pellizco generoso de pimentón son suficientes. A partir de aquí podemos enriquecer con cebolla u otros ingredientes–. A esta base se le añade el pan tostado y con simple agua podemos obtener una sopa de textura cremosa y sabor ardiente. Lo más en alimentación histórica asequible.

También podemos cocinar unos repápalos. Los aprendimos en Extremadura y son también recurso de aprovechamiento secular. Pan desmigado y mojado en huevo batido, que se bolea y fríe para ejercer de albóndiga *panarra* que combina con casi todo.

O más simple aún, nos regalamos el placer de cocinar unas migas en cualquiera de sus variantes. Que todas son buenas y todas tienen su virtud.

Desmenuzado y ligeramente humedecido, nuestro pan regresa a la vida acompañado de carnes de puchero, sardinas, pimientos fritos u otras delicias que aportan sabor y gozoso trabajo a la mandíbula.

Unas buenas torrijas son camino de dulce redención, o también podemos cocinar un pudín mezclando 6 huevos con $1/2$ litro de leche dulce aromatizada (canela, un chorrito de licor, vainilla...). El resultado es jugoso pan devuelto a la vida. Pan que seguirá transmitiendo amor, nos llenará un poco la lorza y sobre todo nos arrancará una sonrisa. De eso se trata.

LA POESÍA

¡Leamos un poco antes de tocar la harina!

Beso con todo ya vendido...,
porque tus ojos ven las cosas
claras. Ahora probaremos a qué
sabe ese pan... ¡comido a secas!

Deja que suene:

"LET'S DANCE"
de DAVID BOWIE

El escaldado o 'roux de agua' se utiliza en panadería profesional para dar más ternura y jugosidad al pan. Además prolonga su conservación.

Pan de remolacha y anchoas

A LOS PANES DE REMOLACHA EXISTENTES QUISIMOS AÑADIRLE UN *PUNCH* EXTRA. LA REMOLACHA ES DE SABOR SUAVE, ASÍ QUE LAS ANCHOAS COMPLETAN EL CONJUNTO Y DAN GAS A FONDO... ¿ESTÁ SONANDO *ROCK 'N' ROLL*?

Ingredientes

350 g de harina de fuerza

150 g de harina integral

10 g de sal

30 g de azúcar

150 g de remolacha cocida y rallada

100 g de leche

70 g de mantequilla

10 g de levadura

40 g de anchoas

Escaldado previo

80 g de agua hirviendo

20 g de harina de espelta integral

Mezclamos en un cazo a fuego lento removiendo hasta conseguir textura de crema ligera y dejamos enfriar

Y ¿cómo se prepara esto?

 1

Mezclamos todos los ingredientes –incluido el escaldado previo– excepto las anchoas, empezando por los secos. Realizamos un amasado suave y rápidamente un plegado del pañuelo (ver página 23) y 10 minutos de reposo. Repetimos este proceso una segunda vez.

 2

Estiramos bien la masa y repartimos las anchoas picadas casi hasta el punto de puré (**podemos mezclar un poco de harina con ellas para dar consistencia**). Realizamos un plegado simple y dejamos reposar 10 minutos. Plegamos de nuevo y dejamos que doble el volumen.

 3

Cortamos piezas de 70 g para formar panecillos de tipo hamburguesa, o 2 piezas de 300 g si queremos preparar panes de molde. Piezas pequeñas: boleamos, pintamos con agua por encima y pasamos la parte superior por un recipiente con las semillas de sésamo para que se peguen.

 4

En la bandeja de horno, dejamos que doblen el volumen. **Piezas grandes:** formamos en forma de barra y las ponemos en un molde. Dejamos que fermenten y doblen el volumen. Horneamos a 210 °C. Los panecillos unos 10 minutos, y los panes de molde por lo menos 20 minutos.

Recetas
con
mucho
love

Por su alto contenido
en grasa, este pan
se puede congelar
en rebanadas
perfectamente, y así
tenerlo preparado
para los días de fiesta.

Pan de molde dulce con huevo
(pan para torrijas)

LA TORRIJA ESTÁ EMPARENTADA CON EL *PAIN PERDÚ* FRANCÉS
Y ADMITE MUY BIEN QUE AÑADAMOS OTROS AROMAS FINALES (LICORES, JARABES...)

Ingredientes

400 g de harina de fuerza
100 g de harina panificable
25 g de azúcar moscabado
25 g de miel
10 g de sal
200 g de huevo

100 ml de leche
100 g de agua
50 g de mantequilla
50 g de aceite
15 g de levadura

Y ¿cómo se prepara esto?

 1

Mezclamos todos los ingredientes. Tras un breve y suave amasado damos un plegado de pañuelo (ver página 23) y dejamos reposar 10 minutos. Repetimos el proceso de amasado suave, plegado y reposo.

2

Por su alto contenido en grasa, también puedes realizarlo con la técnica de la receta de pan de muerto (pág. 48). En ella se incorpora la levadura en el segundo plegado. Realizamos un último plegado y dejamos reposar hasta que doble su volumen.

 3

Cortamos piezas de 300 g y damos un plegado de pañuelo con suavidad. Dejamos reposar 10 minutos y formamos barras para ir a molde.

 4

Ponemos las piezas en el molde y dejamos que fermenten y doblen su volumen. Horneamos a 180 °C durante 18-20 minutos.

Chapati de colores

EL CHAPATI ES UN PAN PLANO Y DEL TIPO ÁCIMO, ES DECIR QUE NO LLEVA LEVADURA.

Foto: Yavuz Sariyildiz / Shutterstock.com

Dónde lo conocí...

Pan típico de la India. En mi viaje a Asia tuve tiempo de ver cómo elaboraban estos panes a pie de calle con hornos pequeños y rudimentarios. ¡Cuánta destreza con tan pocos medios! Estos chapatis son una vuelta de tuerca a estos panes con sabores y colores propios de nuestro obrador.

Ingredientes

250 g de harina de trigo integral

250 g de harina de trigo

10 g de sal

200 g de kétchup

100 g de agua

20 g de aceite

EL TRUCO:
Si quieres panes de otro color utiliza colorante alimentario o, por ejemplo, tinta de calamar para un chapati negro.

1

Mezclamos todos los ingredientes. Realizamos el amasado básico mediante autólisis como se explica en la pág 21. Realizamos un tercer ciclo adicional de amasado, plegado y reposo.

2

Cortamos piezas de 50 g que boleamos y dejamos reposar durante dos horas, o incluso de un día para otro en la nevera (siempre cubierto con papel film para proteger la masa del aire y la deshidratación).

3

Estiramos con un rodillo sobre una superficie que hemos pintado muy ligeramente de aceite para que no se peguen. Han de quedar finos, de 2 mm de grosor.

4

Precalentamos el horno a 230 °C con la bandeja incluida. Cocemos los chapatis sobre la bandeja bien caliente. Cocemos 2 minutos máximo, pero si vemos aparecer pequeñas burbujas en la superficie le damos la vuelta antes. Cocinamos un minuto más por este lado.

PANES del MUNDO

Para los obsesivos de la geometría perfecta, se puede usar un plato u otro molde circular para recortar la masa sobrante.

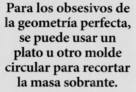

el Reto

¿Te atreves?

En panadería se acostumbra a utilizar un refresco de la masa madre que se elabora la noche anterior.

#Reto4

PAN DE MASA MADRE.
EL PRIMER RETO DEL LIBRO CONSISTÍA EN ELABORAR NUESTRA
MASA MADRE. ¡HA LLEGADO EL MOMENTO DE HACER NUESTRO
PAN CON ELLA!

Ingredientes para el refresco de la masa madre

30 g de nuestra **masa madre del #Reto1**
200 g de agua
150 g de harina T-80

Ingredientes para el pan

750 g de harina
500 g de agua
20 g de sal
5 g de levadura fresca
Los 380 g del refresco de masa madre

¿Preparado para el reto?

Si seis piezas os parecen demasiadas siempre podéis reducir a la mitad todas las cantidades. La receta funciona perfectamente y el resultado será igual de bueno.

1 Mezclamos los tres ingredientes del refresco. Dejamos reposar 16-24 h en nevera.

2 Mezclamos los ingredientes del pan. Amasamos suavemente y dejamos reposar hasta que doble el volumen.

3 Formamos piezas redondas de 300 g (saldrán aproximadamente seis unidades) y dejamos de nuevo que doblen el volumen. Horneamos a 220°C durante 5 minutos. Bajamos la temperatura a 200°C y los dejamos unos 10 o 15 minutos más.

Una de MARIDAJE

Este pan de 3 mostazas es perfecto para rellenarlo con una hamburguesa con kimchi coreano.

¿Con quién casamos este panecillo?

UNOS PANES QUE SE DEJABAN COMER A TODAS HORAS DEL DÍA...
AQUÍ TE MOSTRAMOS ALGUNOS ACOMPAÑANTES PARA DISFRUTAR
TODAVÍA MÁS DEL FESTÍN

Pan de 3 mostazas   **Hamburguesa moruna**

Hamburguesa marinada con aceite, vinagres, limón,
sal, pimentón de la Vera y comino.

Pan de mojito   **Crema de manzana**

Untar o rellenar el pan con una crema de manzana
ácida triturada y mezclada con mascarpone.

Pan de remolacha   **Atún rojo**

Atún rojo ligeramente pasado por la plancha
acompañado con un poco de mayonesa de wasabi.

Torrijas   **Salsa de grosella**

La acidez de unas grosellas o fruto rojo similar
le van de fábula a la torrija.
Directamente o en forma de salsa coulis.

Agradecimientos

Una vez acabado el primer libro ya empecé a visualizar otro distinto. Un libro con recetas más atrevidas, más creativas, y sobre todo que resumiera de algún modo el tiempo pasado entre ambos y los panes que durante este tiempo hemos ido pensando, leyendo, innovando, experimentando y aprendiendo. Para llevarlo a cabo he contado con la ayuda de muchas personas y a todas ellas quiero darles las gracias.

En primer lugar a Anabel y Mª José, fundadoras de la agencia de comunicación del sector gastronómico Sr. y Sra. Cake. Gracias a ellas surgió la oportunidad de este libro. Han hecho de todo (excepto amasar conmigo) y mucho más para que todo saliera bien y a tiempo. Sin ellas más de una receta se hubiera quemado y el libro quizás hubiera fermentado en exceso.

A Òscar Gómez, gracias mil por textos tan bonitos, por saber escuchar, comprender y pasar a letras escritas todo aquello hablado en el obrador y en sesiones largas en el Bar Venecia. Gracias por llamar a cualquier hora, quedar al final de la jornada y hacer del libro algo ameno y divertido.

Gracias, Román, por tus fotos.

A todos los que estos años han formado y forman parte de mi equipo, gracias por cubrirme las espaldas en eventos, cursos, jornadas y sesiones de fotos.

Gracias, Àlex, Josep, Adrià, Rebeca, Marc, Roberto, Mónica, Miriam, Marta, Juli y Angel Santos. Gracias a todos aquellos *stagiaires* que han ido pasando… Todos nos habéis dejado huella.

Gracias a la Logia Panarra. Muchas veces inspiradora de la filosofía que impregna este obrador, gracias Presidenta, Operario, José, Mercè, Cris Gallega, Manel, Zoila, Litelchanche y Starbase.

Gracias también a todos aquellos que me han hecho crecer como panadero.

Gracias a Josep Pascual, Alex Forteza, Ezio Marinato, Carlo Cerri, Carlos Ramírez Roure y también a mi padre.

Y gracias también a aquellos inspiradores de ideas, proyectos y aventuras…Titi, Stephen, Manel, Montse García y Janice Wong.

¡Y gracias a todos!

Idea original: **Sr. y Sra. Cake**, www.srysracake.com
Diseño y maquetación: **Sömi Graphic Studio**, www.somistudio.com

© del texto: **Daniel Jordà y Òscar Gómez**, 2016
© de las fotografías: **Román Joglar (Rojonostudio), Xavier González (foto portada)**, 2016

© de esta edición: **EDITORIAL JUVENTUD, S. A.**, 2016
Provença, 101 - 08029 Barcelona
info@editorialjuventud.es
www.editorialjuventud.es

Primera edición, 2016

ISBN: 978-84-261-4394-5

DL B 15485-2016
Núm. de edición de E.J.: 13.350

Impreso por Impuls 45, Av. Sant Julià, 104, Granollers (Barcelona)
Printed in Spain